مسیحیت چیست؟

مسیحیت چیست؟

دکتر ویلیام م.میلر

مترجم: کمال مشیری
با همکاری ط. میکائیلیان

انتشارات ایلام ۲۰۱۴

شابک: ۹-۳۱-۹۰۶۲۵۶-۱-۹۷۸

What is Christianity?

Original English Title:
"Beliefs and Practices of Christians"

William M. Miller

Translated into Persian by: K. Moshiri
In Collaboration with T. Michelian

Elam Ministries 2014

Elam Ministries
P. O. Box 75
Godalming
GU8 6YP
ENGLAND

publications@elam.com
www.kalameh.com/shop

ISBN 978-1-906256-31-9

«مهمترین حکم این است: خداوندْ خدای
خود را با تمامی دل و با تمامی جان و با تمامی
فکر و با تمامی قوّت خود محبت نما.»

(مرقس ۱۲:۲۹-۳۳)

فهرست مطالب

مقدمهٔ ناشر

خدا کیست؟ انسان کیست؟ گناه چیست؟ عیسای مسیح کیست؟ و ... نمونه‌ای از سؤال‌هایی است که بسیاری از دوستان در مورد مسیحیت می‌پرسند و اکثراً جواب مختصر و مفیدی برای آن پیدا نمی‌کنند.

کتابی که تحت عنوان "مسیحیت چیست؟" به دست خواننده محترم می‌رسد کتابی است که عقاید و اصول مسیحی را به‌طور ساده و مختصر بیان می‌نماید و جوابگوی سؤال‌های بسیاری است که در مورد مسیحیت وجود دارد.

کتاب "مسیحیت چیست؟" موضوعات مربوط به مسیحیت را مبهم نگذاشته و مطالب روحانی را به‌طرزی صمیمانه و مختصر و ساده بیان نموده است.

به‌نظر نویسنده، خوانندگان این کتاب، دوستان صمیمی او به‌شمار می‌روند و از این رو عبارت "دوست عزیزم" در این کتاب بسیار به‌کار می‌رود.

این کتاب به‌علت محبوبیتش بارها چاپ شده است.

امیدواریم خواندن این کتاب جوابگوی برخی از سؤالات شما در مورد مسیحیت باشد.

مقدمه

دوست عزیزم

امیدوارم جسماً و روحاً شـاد باشید. صمیمانه‌ترین سلام‌های خود را تقدیم می‌داریم و خداوند را برای رفاقت و دوسـتی شما سپاس می‌گویم. علاقه شدید شـما به یافتن حقیقت و هدایت به‌سوی دوستی و راستی و راهی که به خدا و نجات او منتهی می‌شود باعث شادی عمیق من گردیده است. شاید در گذشـته سؤالاتی در مورد عقاید و اعمال دوستان مسیحی خود داشته‌اید ولی فرصتی نبوده است تا تمام اطلاعاتی را که در جستجوی آن بوده‌اید به‌دست آورید. بنابراین تصمیم گرفته‌ام با نوشتن این نامهٔ نسبتاً طولانی جزئیات را بیان کنم و توضیح دهم که ایمان ما مسیحیان چیست و وظایف مذهبی ما کدام است و رسوم ما از چه قرار می‌باشد.

چنان که می‌دانید امروزه بیش از یک‌ونیم میلیارد نفر در سراسر جهان خود را مسـیحی می‌خوانند. برخی از آنان ایماندار واقعی هستند و برخی نیز متأسفانه فقط مسیحی اسمی و ظاهری می‌باشند. همان‌طور که برخی از مذاهب به فرقه‌هایی تقسیم شده‌اند مسیحیان نیز از نظر اعتقادات و مراسم عبادت با هم تفاوت دارند و به فرقه‌های گوناگونی تقسیم گردیده‌اند. پس غیرممکن اسـت بتوانم در این نامه عقیدهٔ تمام فرقه‌های مسیحی را بیان کنم، و یا مطلبی بگویم که تمام مسـیحیان جهان با آن موافق باشند. لیکن مطمئن هستم که میلیون‌ها مسیحی در تمام نقاط جهان وجود دارند که با حقایقی که شما در این نامه می‌خوانید موافقند. دعا می‌کنم که شما ضمن خواندن دقیق این شرح مسیحیت، به خداوند نزدیک‌تر شوید و او را بهتر بشناسـید و او را بیشتر دوسـت بدارید و به‌طور کامل‌تری او را اطاعت کنید. اکنون می‌کوشیم سؤالات شما را یک به یک پاسخ دهیم.

ویلیام م. میلر

فصل اول

خدا کیست؟

دوست عزیزم من یقین دارم اولین سؤال شما این خواهد بود: «مسیحیان دربارهٔ خدا چه عقیده‌ای دارند؟» مهمترین موضوع در هر مذهب عبارت از عقاید و نظریات آن مذهب دربارهٔ خدا است. می‌دانم که اشخاص بی‌اطلاع به شما گفته‌اند که مسیحیان سه خدا را پرستش می‌کنند. حتی برخی تصور می‌کنند که ما صلیب و مجسمه‌ها و تمثال‌های انسانی را پرستش کرده و مورد نیایش قرار می‌دهیم. لازم است شما را مطمئن سازم که این سخنان کاملاً اشتباه است.

مسیحیان واقعی پیوسته به خدای واحد حقیقی ایمان داشته‌اند و دارند. توجه فرمایید عیسای مسیح به شخصی که از او سؤال کرد که بزرگترین حکم خدا چه می‌باشد چه پاسخی داد «مهمترین حکم این است: خداوندْ خدای خود را با تمامی دل و با تمامی جان و با تمامی فکر و با تمامی قوّت خود محبت نما.» (مرقس ۱۲:۲۹-۳۳). جمیع انبیای خدا در دوران قدیم اعلام داشته‌اند که خدا واحد است و علیه بت‌ها و همه کسانی که خدایانی غیر از خدای واحد حقیقی را می‌پرستیدند، فریاد اعتراض برمی‌آوردند.

همچنین مسیحیان به خدایی ایمان دارند که نه آغازی داشت و نه پایانی خواهد داشت، زیرا خدا ازلی و ابدی است. ما به خدایی ایمان داریم که بر همه چیز آگاهی دارد و مالک تمام قدرت‌ها می‌باشد و تمام چیزهای دیدنی و نادیدنی را به‌وسیلهٔ کلام خود آفریده است. البته بسیار طبیعی است که خدا آنانی را که او را دوست می‌دارند و اطاعت می‌کنند محبت نماید، ولی آیا کسانی را که او را اطاعت نمی‌کنند دوست دارد؟ مسلم است که او چون مقدس است هر نوع خوبی را دوست داشته و از هر نوع شرارت نفرت دارد. هنگامی که مردم اعمال شرارت‌آمیزی انجام

می‌دهند که مورد نفرت خداوند می‌باشد، خداوند نسبت به این‌گونه افراد غضبناک می‌شود به‌طوری که حضرت داوود به خدا می‌گوید: «تو از همهٔ بـدکاران نفرت می‌کنی» (مزمور ۵:۵). خدا تنفرش از بدی را به‌وسیلهٔ تنبیه آنانی که شرارت را پیروی می‌کنند و مطیع او نیستند ظاهر می‌سازد. وقتی کتاب‌مقدس را می‌خوانیم ملاحظه می‌کنیم که خداوند چگونه افراد و همچنین ملت‌هایی را که به مخالفت با او برخاستند و از توبه (یعنی پشیمانی از اعمال شرارت‌آمیز خود) امتناع ورزیدند معدوم ساخت.

ولی اکنـون اجازه بفرمایید حقیقت پرارزش و جالبی را برای شمـا بیان نمایم. خداوند در عین حال که از شـریران متنفر اسـت، از طرفی می‌خواهد آنان را از جمیع گناهان‌شـان آزادی و نجات بخشد. او آنها را دوسـت دارد و مانند پدری اسـت که با وجودی که پسرش اوامر او را ناچیز می‌شمارد، باز هم به او عشق می‌ورزد و او را محبت می‌نماید. این محبت عجیب خداوند نسبت به گناهکاران به‌وسیلهٔ یکی از داستان‌های عیسای مسیح به‌طور واضح نشان داده شده است.

در این داستان عیسای مسـیح فرمود، پسری که پدرش هنوز در قید حیات بود از او خواست که میراثش را به او بسپارد. پسر پس از دریافت میراث خانه پدر را ترک کرد و تمام ثروت خود را در زندگی شرارت‌آمیز تلف نمود. ولی هنگامی که بی‌چیز شـد و تمام اموالش را از دست داد و از گرسنگی به مرگ نزدیک شد، تصمیم گرفت نزد پدر خود برگردد و به گناه خود اعتراف کند. پدرش به محض دیدن او از دور به سـویش دوید و او را در آغوش گرفت و بوسـید و جشن بزرگی به مناسبت بازگشت او بر پا کرد. از آنجایی که پدرش نسـبت به او محبت عمیقی داشـت او را بخشید و او را که در شـرارت غرق شده بود پذیرفت. عیسای مسیح فرمود به همین طریق خدا آنان را که به او گناه می‌ورزند محبت می‌نماید (لوقا ۱۵:۱۱-۲۴). دوست گرامی دانسـتن این خبر برای ما گناهکاران بسیار خوش و دل‌انگیز اسـت، اینکه خدا ما را محبت می‌نماید و مایل است ما را ببخشد و حاضر است هنگامی که به‌سویش برمی‌گردیم و توبه می‌نماییم ما را بپذیرد.

در کتاب‌مقدس نام‌های بسیاری برای خدا ذکر شده است که از آن جمله عبارتند از: قادر مطلق، خداوند، یهوه، ابدی، زنده، متعال، قدوس، عادل، پادشاه، داور، خالق، نجات‌دهنده و شبان مردم. ولی آن نامی که ما مسیحیان بیش از همه به آن علاقه داریم عبارت است از: «پدر آسمانی». هنگامی که عیسای مسیح دربارهٔ خداوند صحبت می‌فرمود اغلب او را «پدر من» خطاب می‌کرد و به شاگردانش فرمود هنگامی که دعا می‌کنند بگویند: «ای پدر ما که در آسمانی نام تو مقدس باد ...» (متی ۶:۹). آیا برای انسان افتخاری بزرگتر از این وجود دارد که فرزند روحانی خداوند بشود و بداند خدای متعال پدر پر محبت او است؟ این افتخار بزرگ به‌وسیلهٔ خدا به همه کسانی که به عیسای مسیح ایمان می‌آورند، بخشیده می‌شوند. ضمن مطالعهٔ مطالب فوق شاید این سؤال برای شما پیش آمده باشد که مقصود مسیحیان از «تثلیث اقدس» چیست. اگر این سؤال برای شما پیش آمده است لطفاً صبر بفرمایید تا بعداً این اعتقاد مهم را برای شما شرح دهم.

فصل دوم

انسان کیست؟

دوسـتان گرامی، در فصل قبل مختصری در باب ایمان مسیحیان در مورد خدا به عرض رسـید. اکنون کوشـش خواهم کرد برای شما بیان نمایم که مسیحیان دربارهٔ طبیعت انسان و سرشت آدمی چه نظری دارند. زیرا داشــتن عقیده صحیح در مورد انسان برای ما به همان اندازه مهم اســت که داشــتن اطلاعات صحیح در مورد خداوند. البته اطلاعات و معلومات ما در مورد انسان مخصوصاً از کتاب‌مقدس کسب می‌گردد. در آغاز کتاب‌مقدس آمده اسـت که هنگامی که خدا آفرینش آسـمان‌ها و زمین و جمیع گیاهان و حیوانات را به پایان رسـانید، آنگاه انسان را به صورت خود آفرید؛ او انسان را زن و مرد آفرید (پیدایش باب‌های اول و دوم). البته این بدان معنی نیست که خداوند دارای بدن است و بدن انسان را شبیه بدن خود آفرید، بلکه مقصود این است که انسان در ابعادی ورای بُعد جسمانی شبیه خداوند آفریده شد.

خداوند به انسان عقل داد تا بتواند استدلال نماید، به او قلبی داد تا بتواند با آن محبت نماید، وجدانی بخشـید تا خوب را از بد تشـخیص دهد، اراده بخشـید تا کارهای نیکو انجام دهد، زبان عطا فرمود تا بتواند سـخن بگوید و به او روح داد تا بتواند به‌وسیلهٔ آن با خداوند معاشرت و دوستی داشته باشـد. بدین طریق خدا انسان را به صورت خود آفرید تا بتواند خدا را بشناسـد و با او ارتباط پیدا کند. بنابراین انسان اشرف مخلوقات خدا محسوب می‌شود.

عده‌ای اشـتباهاً تصور کرده‌اند که انسان در آن موقع خدا بود. ولی چنین نبود، بلکه انسان به خدا خیلی نزدیـک و کاملاً پاک بود، زیرا در او هنوز گناهی وجود نداشـت. انسان شبیه ماشـین نبود بلکه خدا به او اراده داد تا اختیار انتخاب داشته باشد. در واقع خدا انسان را آزاد آفرید

تا خودش آزادانه و ارادی آفریننده خویش را اطاعت و محبت و خدمت نماید. میل و آرزوی خدا این بود که مردم در جهان به منزله فرزندان روحانی او باشند و او را چون پدر و یکدیگر را چون برادر محبت نمایند و با شادی ارادهٔ خدا را در این جهان انجام دهند. امروزه در این جهان پهناور نژادهای مختلفی وجود دارند که از نظر قیافه و رنگ و پوست و زبان متفاوت هستند ولی همه از نسل آدم هستند و به یک خانواده تعلق دارند و محبت خدا که جمیع نوع بشر را آفرید شامل حال همه می‌باشد.

ولی با تأسف باید گفت که اراده و میل خدا برای انسان انجام نشد. انسان به جای این که آزادی ارادهٔ خود را در راه اطاعت و خدمت خدا به کار ببرد، برعکس به‌طوری که در باب‌های دوم و سوم پیدایش ذکر شده از این توانایی برای مخالفت با خدا استفاده کرد. خدا به والدین اولیه ما آدم و حوا دستور داد که از میوهٔ درخت معرفت نیک و بد نخورند. این درخت در وسط باغ عدن بود، جایی که خدا انسان را در آنجا قرار داد. خدا به آنها فرمود که اگر او را اطاعت ننمایند و از میوهٔ این درخت بخورند حتماً خواهند مرد.

شیطان به‌صورت مار داخل باغ شد و حوا را راضی کرد که از میوهٔ آن درخت بخورد. سپس حوا آن را به آدم داد و آدم هم از آن میوه خورد. این عمل والدین ما تنها یک اشتباه معمولی و یا خطایی از روی بی‌فکری نبود بلکه عصیان عمدی برضد خالق بود. به‌عبارت دیگر آنها می‌خواستند خدا شوند. آنها مایل نبودند مطیع ارادهٔ خدا باشند بلکه می‌خواستند امیال خود را دنبال کنند. نتیجه چه شد؟ خدا آنها را به‌شدت سرزنش کرد و از باغ بیرون راند تا در جهان پردرد و رنج زندگی کنند. بدترین مسئله این بود که آدم و حوا آن اتحاد و نزدیکی با خدا را از دست دادند و در نتیجه از حضور خدا محروم شدند.

قبلاً مقدس و عفیف، ولی اکنون گناهکار شده بودند. قبل از نافرمانی قادر بودند انتظارات خدا را به‌خوبی انجام دهند ولی حالا هر چند حقیقت را می‌دانستند اما قدرت لازم برای پیروی از آن را نداشتند. تدریجاً از آنچه خوب بود متنفر گردیدند و به آنچه شرارت‌آمیز بود علاقه‌مند شدند.

ایـــن طغیان بر ضد خدا در کتاب‌مقدس گناه نامیده می‌شـــود و نتیجه آن مرگ است.

این شـــرح اولین گناه انسان برای ما بی‌نهایت مهم است زیرا به‌وسیلهٔ آن می‌توانیم به وضع و حالت انســـان کنونی پی ببریم. انسان‌ها مانند آدم و حوا در ابتدای آفرینش عفیف و مقدس نیستند. برای درک این حقیقت نیازی نداریم دیگران را نگاه کنیم بلکه فقط کافی اســـت به قلوب خود بنگریم. آیا اغلب آنچه را که می‌دانیم نادرســـت اســـت انجام نمی‌دهیم؟ اظهار می‌نماییم که دروغگویی صحیح نیســـت ولـــی گاه‌گاهی خودمان کلمات نادرست می‌گوییم. به خوبی می‌دانیم محبت از نفرت برتر است، ولی چه بســـا از دیگران نفرت داریم! چرا این کارها را می‌کنیم؟ زیرا از والدیـــن اولیه خود ماهیت و ذات گناه‌آلود آنها را به ارث برده‌ایم و مانند آنها نه مایل هســـتیم و نه قدرت داریم که میل و ارادهٔ خدا را به‌طور کامل انجام دهیم.

هنگامی که طفلی در جهان متولد می‌شود به‌ظاهر پاک و بی‌گناه است ولی بزودی شرارت در او ظاهر می‌شود. همان‌طوری که حضرت داوود در مورد خود فرمود: «براســـتی که تقصیرکار زاده شده‌ام، و گناهکار، از زمانی که مادرم به من آبستن شد!» (مزمور ۵:۵۱). همه مجبوریم تصدیق کنیـــم که تمامی نوع بشـــر گناهکارند و باید با کلام خـــدا موافقت کنیم که می‌فرماید: «دل از همه چیز فریبنده‌تر اســـت و بســـیار مریض است. کیســـت که آن را بداند» (ارمیا ۹:۱۷). برای همین بود که عیسای مسیح فرمود: «زیرا اینهاست آنچه از درون و دل انسان بیرون می‌آید: افکار پلید، بی‌عفتـــی، دزدی، قتل، زنا، طمع، بدخواهی، حیله، هرزگی، حســـادت، تهمت، تکبّر و حماقت. ین بدیها همه از درون سرچشمه می‌گیرد و آدمی را نجس می‌سازد.» (مرقس ۲۱:۷-۲۳)

خـــدا که تمامی قلوب بشـــر را بـــه خوبی می‌داند فرموده اســـت: « هیچ‌کس پارســـا نیســـت، حتی یک نفر» (رومیـــان ۱۰:۳). با وجود این فقط یک شخص مستثنی اســـت که از انسان بزرگتر و والاتر است و من بعداً توضیحاتی در مورد او خواهم داد. پس حالت و وضع انســـان بسیار

تأسف‌آور است! چون در نتیجهٔ نافرمانی رابطهٔ خود را با خدا قطع کرده است. مانند گوسفند گمشده‌ای است که در بیابان لم‌یزرع و خشک نزدیک به مرگ می‌باشد (اشعیا ۶:۵۳). چون دیگر فرزند روحانی خدا نیست دشمن خدا و اسیر گناه و شیطان شده است (رومیان ۱۷:۶). چون دیگر نمی‌تواند در راه‌های مقدس خدا قدم بزند در واقع در گناه مرده است (افسسیان ۱:۲). همان‌طوری که خدا به آدم فرموده بود نتیجه گناه مرگ است- مرگ جسمی و روحی.

فصل سوم

گناه چیست؟

دوستان عزیزم، اکنون باید کوشش نمایم تا کاملاً روشن سازم که گناه چیست. گناه فقط انجام کارهای نادرست از قبیل دزدی و زناکاری و مستی و یا قتل نیست. گناه اصولاً جدایی و دوری از خدا و شامل تمام چیزهایی است که برخلاف ارادهٔ مقدس خداوند باشد. گناه فقط شامل کارهای شریرانه نیست بلکه غرور، حسادت، نفرت و افکار شهوانی نیز گناه محسوب می‌شود. عیسای مسیح فرمود که دو حکم اعظم خدا این است که خدای خود را با تمامی قلب خود محبت نماییم و همسایه خود را چون خویشتن محبت کنیم (مرقس ۱۲:۲۹-۳۳). این دو حکم احکام اصلی خداوند می‌باشند و به همین دلیل قصور در محبت کامل خدا از طرف ما و همچنین قصور در محبت کامل نسبت به دیگران بزرگترین گناه به شمار می‌رود. آیا کسی یافت می‌شود که این احکام را به‌طور کامل اجرا کرده باشد؟ خیر، تمام مردم این احکام را شکسته‌اند غیر از عیسای مسیح که کاملاً بی‌گناه بود. او زندگی کاملی داشت؛ این همان زندگی کاملی است که خداوند انتظار دارد ما هم داشته باشیم. دستور او این است: «پس شما کامل باشید چنان که پدر شما که در آسمان است کامل است» (متی ۵:۴۸).

ولی ما انسان‌های گناهکار که قلب‌هامان پر از شرارت است چگونه می‌توانیم آن‌طور که خداوند دستور داده است خوب و بی‌گناه باشیم؟ شخصی که سرطان داشته باشد احتیاجی به شنیدن نصیحت در مورد قوانین بهداشتی ندارد. آنچه احتیاج دارد عبارت است از دکتر ماهر و حاذقی که قادر باشد او را شفا بخشد. همچنین شخصی که گرفتار مرض گناه است احتیاجش با شریعت و قوانین و دستورات نیکوی اخلاقی و امر و نهی برآورده نمی‌شود، بلکه به یک پزشک روحانی احتیاج دارد

که قادر باشد او را دگرگون ساخته و در او فکر و قلب و ارادهٔ جدیدی بیافریند و نیرویی به او ببخشد که بتواند خواست خدا را انجام دهد. بدیهی است که جمیع مردم احتیاج به کسی دارند که قادر باشد آنان را از گناه نجات بخشد و فرزندان خدا سازد. بعداً توضیح خواهم داد که خداوند بر اثر رحمت عظیم خویش چگونه چنین نجات‌دهنده‌ای برای جهان مهیا کرده است.

فصل چهارم

آیا به انبیاء و فرشتگان ایمان دارید؟

دوستان گرامی، اکنون مایلم به سؤال دیگر شما در مورد عقیدهٔ مسیحیان راجع به انبیاء پاسخ گویم. آری، مسیحیان عقیده دارند که خدا انبیاء را فرستاد تا به‌وسیلهٔ آنان کلام خود را به مردم برساند. به‌علت گناه اکثریت مردم نخواستند صدای خدا را بشنوند، و یا به سبب کریِ روحانی قادر به شنیدن نبودند، لیکن مردان و زنانی بودند که توبه کرده مورد بخشش خدا قرار گرفتند. خدا با آنان سخن گفت و آنان را موظف ساخت تا پیغام او را به دیگران برسانند. از این جهت آنان پیامبران خدا شدند.

اطلاعات ما در مورد انبیاء از کتاب‌مقدس سرچشمه می‌گیرد که شامل شرح زندگی و بیانات و نوشته‌های عده‌ای از انبیاء است که برای رسانیدن پیام الاهی به مردم انتخاب شدند. اسامی برخی از انبیاء که در کتاب‌مقدس آورده شده عبارتند از: ابراهیم، موسی، هارون (برادر موسی)، مریم (خواهر موسی)، ناتان، سموئیل، داوود، ایلیا، الیشع، اشعیا، ارمیا، یونس، یوئیل، دانیال و یحیای تعمیددهنده که آخرین پیامبر قبل از آمدن عیسای مسیح بود. ابراهیم که دوست خدا و پدر ایمانداران نامیده شده است توسط خدا انتخاب گردید تا پدر بسیاری از اقوام باشد. در سن پیری پسری به او بخشیده شد که از زنش ساره به دنیا آمد و نامش اسحاق بود. ابراهیم برای اطاعت از دستور خداوند حاضر شد که فرزند خود اسحاق را قربانی نماید ولی خداوند قوچی را برای قربانی به جای اسحاق مقرر فرمود (پیدایش ۲۲:۱-۱۹).

سپس خداوند به ابراهیم وعده فرمود که از نسل اسحاق نجات و برکت به جهان ارزانی خواهد شد و این وعده در عیسای مسیح انجام پذیرفت. بعد از عیسی، رسولانی مانند پطرس و پولس کلام خداوند را

برای مردم بیان نمودند و آنان را تعلیم دادند که به عیسـای مسیح ایمان بیاورند. مـا معتقدیم که اینان آخرین پیامبران خدا بودند ولی از یک نظر هر کسی پیام واقعی خدا را به مردم برساند ممکن است نبی خوانده شود.

نظر به این که عقیدهٔ مسیحیان در مورد انبیاء از بعضی جهات با عقاید پیروان سایر مذاهب تفاوت‌هایی دارد مایلم به چند حقیقت مهم اشاره نمایم:

– تعداد انبیاء معلوم نیست و ما اسامی بسیاری از آنان را نمی‌دانیم.

– همه انبیاء تا آنجایی که می‌دانیم از نسـل ابراهیم و پسرش اسحاق بوده‌اند.

– انبیاء از طرف خدا طی دوره‌ای حدود دو هزار سال فرستاده شدند.

– انبیاء عموماً برای اسـرائیل فرسـتاده شـدند، یعنی قومی که خدا انتخاب فرمود تا قوم برگزیدهٔ او باشـند و به‌وسیلهٔ آنها حقایق الاهی به جمیع مردم جهان شناسانده شود.

– انبیاء بی‌گنـاه نبودند بلکه مردمان باایمانـی بودند که گناهان آنان آمرزیده شده بود.

– انبیاء از میان طبقات مسـتقل اجتماع ظهور کردند؛ برخی دولتمند، برخـی فقیر، برخی تحصیل‌کرده و برخی بـا معلومات کم، برخی پیر و برخی هم جوان بودند.

– بعضی از انبیاء نظیر ایلیا و یحیای تعمیددهنده کتابی ننوشـتند ولی برخی نظیر موسـی، داوود، اشـعیا، یوحنا و پولس پیغام خدا را به رشته تحریر درآوردند تا نسل‌های بعدی هم بتوانند بخوانند.

– کلام خدا به طریق‌های مختلف به انبیاء نازل می‌شد. برخی صدای خدا را می‌شنیدند، بعضی پیغام او را به‌وسیلهٔ فرشتگان دریافت می‌نمودند، بعضـی رؤیاهـا و بعضی خواب‌ها می‌دیدند و بـدون تردید عده‌ای هم پیغـام خدا را با فکر و قلب خود درک می‌کردند و نتیجهٔ مشـاهدات و تجربیات‌شـان را با هدایت روح‌القدس می‌نوشـتند. با وجود این همه اطمینان داشتند که خداوند با آنان صحبت کرده است و می‌توانستند با اعتماد تمام به مردم بگویند «خداوند چنین می‌فرماید».

– به بعضی از انبیاء از قبیل موسی و الیشع و پطرس قوت انجام معجزات داده شد تا حقیقت پیغام خویش را بدان وسیله ثابت نمایند. ولی برخی نظیر یحیای تعمیددهنده معجزه‌ای انجام ندادند.

انبیایی که قبل از عیسای مسیح ظهور کردند برای مردم شرح دادند، خدا کیست و از آنان چه می‌خواهد و آنان را هشدار دادند که خدا کسانی را که مطیع او نیستند تنبیه می‌نماید. همچنین به آنان مژده دادند که اگر گناهان خود را ترک گویند و به‌سوی خدا برگردند، خدا آنها را خواهد بخشید و برکت خواهد داد. توسط موسی که تنها پیام‌آورنده شریعت و قوانین بود خداوند قوانین زیادی به قوم اسرائیل داد. انبیایی که بعد از موسی آمدند مردم را تشویق نمودند که قوانین خدا را که به‌وسیلهٔ موسی عطا شده بود اطاعت نمایند. ولی چون انسان گناهکار بود امکان نداشت بتواند قوانین مقدس الاهی را به‌طور کامل اطاعت کند از این جهت شریعت قادر نبود ایشان را نجات بخشد؛ ولی مانند آیینه‌ای گناهکار بودن مردم را به آنها نشان می‌داد و آنها را متوجه می‌ساخت که چقدر به نجات‌دهنده احتیاج دارند.

یکی از برجسته‌ترین کارهای انبیاء این بود که به مردم گفتند که خدا نجات‌دهنده‌ای را که مردم جهان سخت به او نیازمندند برای آنان خواهد فرستاد. هنگامی که بخواهم در مورد عیسای مسیح برای شما بنویسم برخی از وعده‌های عالی را که در کتاب‌های انبیاء قدیم یافت می‌شود ذکر خواهم نمود. در کتاب‌مقدس اشارات فراوانی به مخلوقاتی غیر از انسان وجود دارد که توسط خدا آفریده شده و معمولاً فرشتگان نامیده می‌شوند و آنان پیام‌آوران خدا هستند که اغلب فرستاده می‌شدند تا ارادهٔ خدا را برای انبیاء و سایر ایمانداران مکشوف سازند. فرشتگان به‌صورت انسان به ابراهیم و به موسی و دیگران ظاهر شدند. فقط نام دو فرشته یعنی میکائیل و جبرائیل در کتاب‌مقدس آورده شده است. جبرائیل بود که به مریم اطلاع داد دارای پسری به‌نام عیسی خواهد شد.

علاوه بر فرشـــتگان مقدس که مطیع خدا هســتند طبق اطلاعاتی که از کتاب‌مقدس به‌دســت می‌آید، ارواح دیگــری وجود دارند که نامطیع و دشــمن خدا هســتند و رئیس آنان را شــیطان یا ابلیس می‌نامند. طبق باور مســیحیان شیطان پاک آفریده شد ولی به سبب غرور نسبت به خدا نافرمانی کرد و در نتیجه به همراه ارواحی که او را پیروی می‌کردند مقام عالی و مقدس آســمانی خویش را از دست دادند و اکنون با تمام توانایی خود سعی دارند کار خدا را روی زمین خراب کنند.

شــیطان بود که حوا را در باغ عدن فریــب داد و از آن زمان تاکنون می‌کوشــد مردم را از خدا دور سازد. او حتی سعی کرد عیسای مسیح را راضی ســازد که از اطاعت خدا سرپیچی نماید ولی موفق نگردید (متی ۴:‏۱-۱۱). شیطان دارای قدرت بسیاری است ولی هرگز نمی‌تواند با خدا برابری کند بلکه تحت کنترل خداســت. مسیحیان نباید از او و یا ارواح شریرش که به جسم و جان بسیاری از مردم آسیب می‌رساند ترسی داشته باشــند. با قدرتی که مسیح به ما می‌بخشد دارای چنین نیرویی می‌گردیم که می‌توانیم در برابر او مقاومت کرده، از خود برانیم. در پایان خدا شیطان را از این جهان به آتش جاودانی خواهد انداخت (مکاشفه ۲۰:‏۱۰).

فصل پنجم

کتاب‌های مقدسِ مسیحیان کدام است؟

دوستان گرامی، اکنون به سؤال شما در مورد کتاب‌های مقدس مسیحیان پاسخ خواهم داد. به‌طوری که می‌دانید از زمان قدیم یهودیان و مسیحیان «اهل کتاب» نامیده می‌شدند و در واقع این عنوان بسیار شایسته و به‌جا می‌باشد. زیرا یهودیان و مسیحیان علاقهٔ عمیق خود را به حفظ و حراست کتاب‌مقدس خود ثابت کرده‌اند. کتاب‌هایی که مسیحیان آنها را مقدس می‌دانند کدامند؟ کتاب‌مقدس مسیحیان شامل ۶۶ کتاب است که در یک جلد جمع‌آوری گردیده و مجموعاً کتاب‌مقدس نامیده می‌شود. کتاب‌مقدس شامل دو قسمت عهدعتیق و عهدجدید است. اکنون دربارهٔ این دو قسمت به‌صورت جداگانه بحث خواهم نمود.

۱- عهدعتیق

این قسمت شامل ۳۹ کتاب جداگانه است که تمام آنها به‌عنوان کتاب‌مقدس مورد قبول یهودیان و مسیحیان می‌باشد. این کتاب‌ها به زبان عبری توسط نویسندگان مختلف طی بیش از هزار سال به رشتهٔ تحریر درآمده‌اند. پنج کتاب اول به تورات و یا کتاب‌های پنجگانه معروف هستند و مطالب این پنج کتاب توسط موسی و عدهٔ دیگری که به‌وسیلهٔ خدا هدایت می‌شدند از مدارک قدیمی جمع‌آوری و نوشته شد. اولین کتاب پیدایش نام دارد که با شرح آفرینش جهان توسط خدا شروع می‌شود و دربارهٔ آدم و حوا و نوح و طوفان سخن می‌گوید. همچنین برای ما نقل می‌کند که ابراهیم چگونه به فرمان خدا وطن خود را که در عراق بود در حدود دو هزار سال قبل از میلاد ترک کرد و به فلسطین

یعنی سـرزمینی که خدا به او وعده داده بود، رفـت. این کتاب زندگی اسحاق و یعقوب و یوسـف را که بهوسیلهٔ برادرانش به غلامی در مصر فروخته شد و بعداً وزیر فرعون گردید، شرح میدهد.

چهار کتاب دیگر تورات بیان میکند که خدا چگونه به موسی قدرت عطا فرمود تا قوم اسـرائیل که از نسـل دوازده فرزند یعقوب (اسرائیل) بودند رهبری نماید، و اینکه چگونه تقریباً ۱۳۰۰ سـال قبل از میلاد آنان را از مصر بیرون آورده، به سـرزمین فلسطین هدایت نمود. این کتابها همچنین شـامل تمام قوانینی است که خدا در کوه سینا توسط موسی به قوم خود اسـرائیل عطا فرمود. بعد از تورات چند کتاب تاریخی وجود دارند که شرح میدهند چگونه قوم اسرائیل تحت رهبری یوشع بن نون فلسـطین را فتح میکند و چگونه خدا سـموئیل نبی را میفرستد تا در حدود سال ۱۰۰۰ قبل از میلاد داوود را به پادشاهی اسرائیل مسح نماید.

این کتابها به ما میگوید، داوود که هم پادشاه بود و هم نبی چگونه تمام دشمنان خود را شکست داد و چگونه پسرش سلیمان معبدی برای عبادت خدا در اورشـلیم بنا کرد. بعد از سـلیمان، کشور به دو قسمت تقسیم شـد و فرزندان او بر قبیله یهودا در اورشلیم حکمرانی کردند تا بالاخره اورشلیم در سال ۵۸۶ قبل از میلاد بهوسیلهٔ سپاهیان پادشاه بابل فتح شد. بسیاری از یهودیان اسیر گشته به عراق و ایران برده شدند و بعد از پنجاه سال کورش شاهنشاه ایران بابل را تسخیر نمود و یهودیان اسیر را تشویق و هدایت نمود تا به اورشلیم برگردند و معبد خدا را که ویران شـده بود مجدداً بنا نماید. آنان این کار را انجـام دادند ولی بعد از ۵۸۶ قبل از میلاد دیگر پادشـاهی از نسل داوود بر یهود حکمرانی نکرد زیرا فلسطین تحت تسلط بیگانگان بود.

بعد از کتابهای تاریخی عهدعتیق کتابهای اشـعار قرار دارند که از آن جمله میتوان کتابهای ایوب، مزامیر داوود، امثال سلیمان و غیره را نام برد. سـپس به شانزده کتاب به قلم انبیاء مختلف میرسیم که از آن جملهاند: اشعیاء، ارمیاء، حزقیال، دانیال، میکاء، ذکریا و ملاکی. غالب این انبیاء بین سالهای ۸۰۰ تا ۴۰۰ قبل از میلاد در یهودیه زندگی میکردند.

چنین به‌نظر می‌رسد که بعد از ملاکی نبی (تقریباً ۴۳۰ قبل از میلاد) تا زمان ظهور یحیای تعمیددهنده در حدود ۲۶ میلادی، خداوند پیامبر دیگری نفرستاده است.

۲- عهدجدید

تعداد کتاب‌هایی که عهدجدید را تشکیل می‌دهند ۲۷ کتاب است. این کتاب‌ها به زبان یونانی به‌وسیلهٔ تقریباً ده نویسنده مختلف به مدت پنجاه سال بعد از مرگ و قیام عیسای مسیح به رشته تحریر درآمد. اصطلاح عهدعتیق اشاره‌ای است به پیمانی که خداوند توسط موسی با قوم خود اسرائیل منعقد کرد (خروج ۲۴:۱-۸). عهدجدید اشاره‌ای است به پیمان خدا به قوم جدید خود یعنی کسانی که به مسیح ایمان می‌آورند (ارمیاء ۳۱:۳۱-۳۴ و لوقا ۲۲:۲۰). چهار کتاب عهدجدید «انجیل» نامیده می‌شود که به زبان یونانی به معنی مژده یا خبر خوش می‌باشد. این کتاب‌ها به‌وسیلهٔ چهار نویسنده مختلف نوشته شده‌اند و هر کدام خود کتاب جداگانه‌ای در مورد زندگی و تعلیمات عیسای مسیح می‌باشد. این اناجیل با یکدیگر تناقضی ندارند بلکه مکمل یکدیگرند و مانند چهار عکس می‌باشند که از یک شخص در چهار جهت مختلف گرفته شده باشند.

پنجمین کتاب عهدجدید اعمال رسولان می‌باشد. این کتاب طرز انتشار و توسعهٔ ایمان مسیحی را از اورشلیم تا به رُم در مدت سی سال بعد از مرگ عیسای مسیح بیان می‌نماید. این کتاب مخصوصاً کارهای دو نفر از رسولان مسیح یعنی پطرس و پولس را شرح می‌دهد. سپس به بیست و یک نامه می‌رسیم که غالباً توسط پولس رسول و پطرس رسول و یوحنای رسول نوشته شده‌اند. این نامه‌ها به گروه‌های مسیحی بعضی از شهرهای امپراطوری روم یا به افراد نوشته شده‌اند. در این نامه‌ها توضیح داده شده است که مسیحیان چه ایمانی باید داشته باشند و چگونه باید زندگی کنند. آخرین کتاب که مکاشفه نام دارد رؤیایی را که یوحنای رسول دید بیان می‌کند. این کتاب نشان می‌دهد که چه

تنبیه‌هایی در انتظار بی‌ایمانان است و همچنین پیروزی نهایی عیسای مسیح و جلال و ملکوت ابدی خدا را تشریح می‌نماید.

اگر چه هم یهودیان و هم مسیحیان کتاب‌های عهدعتیق را می‌پذیرند ولی یهودیان عهدجدید را از طرف خدا نمی‌دانند. شاید اکنون مایل باشید که بدانید مقصود مسیحیان از «کتاب‌مقدس» یا کتابی که از «طرف خدا» می‌دانند چیست. قبل از هر چیز باید دانست که ما مسیحیان عقیده نداریم که خداوند مطالب این کتاب‌ها را به نویسندگان مختلف آن دیکته کرد؛ چنان که رئیس اداره‌ای نامه‌ای را به منشی خود دیکته می‌کند. زیرا وقتی این کتاب‌ها را می‌خوانیم متوجه می‌شویم که از نظر سبک و روش نگارش، تفاوت زیادی دارند. داوود مانند سلیمان ننوشت و همچنین سبک پولس با یوحنا تفاوت داشت. همه دارای شخصیت‌های متفاوتی بودند و بنابراین سبک نگارش آنان نیز با هم تفاوت داشته است. در این صورت ممکن است این سؤال پیش آید که آیا این کتاب‌ها هم که توسط افراد نوشته شده‌اند مانند سایر کتاب‌هایی که مردم نوشته‌اند علاوه بر حقایق شامل اشتباهاتی هم هست؟

به هیچ وجه این طور نیست. زیرا هر چند این کتاب‌ها توسط انسان‌ها تألیف شده‌اند، مسیحیان آنها را کلام خدا می‌دانند و معتقدند خداوند به‌وسیلهٔ روح خود طوری این نویسندگان را هدایت کرد که نوشته‌های آنها کاملاً صحیح باشد. ما ایمان داریم که خدا حقایق الهی و اراده مقدس خود را بر انبیاء مکشوف ساخت تا آنان بتوانند پیغام او را به گوش مردم برسانند. به همین طریق خدا حقیقت خویش را به مردمی که خود انتخاب نمود تا این کتب را بنویسند شناسانید. هر یک از نویسندگان با قلم خویش و خصوصیات انسانی خود تحت تسلط و راهنمایی روح خدا کلام او را نوشت.

در انجیل مقدس یا عهدجدید چنین می‌خوانیم: «زیرا وحی هیچگاه به ارادهٔ انسان آورده نشد، بلکه آدمیان تحت نفوذ روح‌القدس از جانب خدا سخن گفتند» (دوم پطرس ۲۱:۱). آنها پیام خدا را بیان کردند و همچنین آن را نوشتند. کتاب‌مقدس کلام مکتوب خداست. بنابراین ما مسیحیان

عقیـــده داریم که کتاب‌مقدس با دیگر کتاب‌های جهان تفاوت کلی دارد. ما ایمان داریم که آنچه باید دربارهٔ خدا بدانیم در این کتاب یافت می‌شود و به‌وســیلهٔ این کتاب وظیفه خود را نســبت به خدا و همنوعان‌مان به خوبی می‌فهمیم، زیرا این کتاب در مورد نجات‌دهنده یعنی عیسای مسیح ســخن می‌گوید که تنها کسی است که می‌تواند انسان گناهکار را عوض کند و دنیا را به‌صورتی درآورد که خدا می‌خواهد.

اکنون چند نکته را تشریح می‌نمایم:

۱- اولین نکته این است که هر چند در تمام جهان فرقه‌های مختلف مســیحی وجود دارد ولی همه آنان متفقاً به درســتی و حقانیت این ۶۶ کتــاب ایمان دارند و ایــن کتاب‌ها را راهنمــای منحصربه‌فرد در مورد اعتقادات و روش زندگی می‌دانند.

۲- مســیحیان هرگز معتقد نیســتند که کتاب‌های بعدی کتاب‌های قبلی را منســوخ کرده و یا جای آنها را گرفته‌اند. مثلاً ما عقیده نداریم که انجیل جای تورات را گرفته است. عیسی فرمود: «گمان مبرید که آمده‌ام تا تورات و نوشــته‌های پیامبران را نسخ کنم؛ نیامده‌ام تا آنها را نسخ کنم، بلکه آمده‌ام تا تحققشان بخشم» (متی ۱۷:۵). همان‌طوری که در مدرسه کتاب‌هایی کــه در کلاس دهم تدریس می‌شــود کتاب‌های کلاس‌های پایین‌تــر را باطل نمی‌کند بلکه آنها را تکمیل می‌نماید. به همین شــکل، کتب بعدی که توسط خدا عطا شده‌اند کتب قبلی را باطل نمی‌کنند، بلکه در مورد شناسایی حقایق الهی فهم کامل‌تری به انسان می‌بخشند. بنابراین ما مسیحیان تمام این کتاب‌ها را مطالعه می‌کنیم تا تمام دروسی را که خدا می‌خواهد به ما تعلیم دهد به خوبی بیاموزیم. اگر شخصی کتابی بنویسد که با فرمایشــات خداوند در کتاب‌مقدس مطابقت نداشته باشد برای ما واضح است که چنین کتابی از طرف خدا نیست زیرا خدا هرگز برخلاف کلام خود چیزی نمی‌گوید.

۳- اگر به شما گفته‌اند که مســیحیان کتاب‌مقدس خود را عوض یا تحریف کرده‌اند و کتبی که اکنون در دســت دارند معتبر نیســت، باید به شــما اطمینان بدهــم که این اتهام به هیچ وجه پایه و اساســی ندارد.

مسـیحیان کتاب‌مقدس خود را دوسـت می‌دارند و هرگز به افراد شریر
اجازه نمی‌دهند که آن را از بین ببرند و یا تغییراتی در آن بدهند. به‌علاوه
امروزه نسـخه‌های خطی کتاب‌مقدس به زبان یونانی وجود دارد که به
بیش از ۱۶۰۰ زبان مختلف جهان ترجمه و منتشر گردیده است. در تمام
زبان‌ها پیغام خدا یکی است. آیا می‌دانستید که کتاب‌مقدس سالانه بیش
از هر کتاب دیگری در جهان منتشـر و توزیع می‌شود؟ مطمئناً اگر مردم
معتقد بودند که این کتاب کاذب و نادرست است، هرگز این قدر خواهان
نمی‌داشـت. از این گذشتـه غیرممکن به‌نظر می‌رسد که خدا کلام خود
را برای راهنمایی به بشـر ببخشد و بعد اجازه دهد عوض شود تا آدمیان
گمراه شـوند. خیر، خداوند خودش کلام مقدس را هزاران سـال از هر
گونه دخل و تصـرف و تغییری حفظ کرده و خواهد کرد. از این رو این
کتاب کاملاً قابل اعتماد می‌باشد.

۴- یکی از نکات عجیب و جالـب در مورد ۶۶ کتابِ کتاب‌مقدس
این است که گرچه این کتاب‌ها به‌وسیلهٔ نویسندگان متعدد در زمان‌های
مختلف در دوره‌ای بالغ بر ۱۵۰۰ سال به رشته تحریر درآمده است، پیام
همه آنها یکی اسـت. این کتاب‌ها می‌گویند خدا کیسـت و از بشر چه
می‌خواهد و برای نجات بشر گناهکار چه کرده است. این موضوع نشان
می‌دهد که مؤلف واقعی این کتاب‌ها خداسـت نه اشـخاصی که آنها را
نوشته‌اند.

۵- نکتهٔ قابل توجه دیگر در مورد کتاب‌مقدس این است که فهمیدن
آن آسان می‌باشد. گرچه این کتاب مدت‌ها قبل به زبان‌های قدیمی نوشته
شـده اسـت ولی می‌توانـد به زبان‌ها امروزی ترجمه شود و هر شخص
نوسوادی قادر اسـت پیام آن را بفهمد. من بارها در مورد مردان و زنان
دورافتاده‌ترین نقاط جهان شـنیده‌ام که بدون هیچ معلمی فقط با مطالعهٔ
قسمتی از کتاب‌مقدس خدا را شناخته و از گناهان خویش نجات یافته‌اند.
البته اسـتادان برجسته‌ای جهت کمک به شناسـانیدن کلام خدا و ترقی
و تکامل روحانی، کتاب‌هایی نوشتـه‌اند و شوراهای کلیساهای مسیحی
اعتقادنامه‌هایی تنظیم نموده‌اند که راه راسـت و درک صحیح کلام را به

ایمانداران نشان می‌دهد. لیکن اگر شخصی کتاب‌مقدس را دقیقاً مطالعه کند ملاحظـــه خواهد نمود که این کتاب خودش مطالب خود را توضیح می‌دهد و روشن می‌سازد.

کتاب‌مقدس آنچه را که برای شناسایی خدا لازم داریم به ما می‌آموزد و اطلاعات کافی دربارهٔ نجات و وظیفه ما نســبت به خدا و مردم را در اختیارمان می‌گذارد. بنابراین هر فرد مســیحی دارای این مزیت و وظیفه اســت که کتاب‌مقدس را مطالعــه کند و با کمک دیگر مســیحیان و با راهنمایی روح‌القدس آن را برای خود تفسیر نماید. بسیاری از مسیحیان عادت دارند هر روز قسمتی از کتاب‌مقدس را مطالعه نموده، در اطراف تعالیم آن به بررســی و تفکر و تعمق بپردازند. شاید توجه کرده باشید که چرا ذکر نکرده‌ام که انجیل به‌وســیلهٔ عیســی نوشته و یا به‌وسیلهٔ خدا به عیسای مسیح داده شــده است. در واقع تا جایی که می‌دانیم عیسی هیچ گونه کتابی ننوشــت و هیچ کتابی در دســتش نداشت که خدا به او داده باشــد. به‌طوری که بعداً توضیح خواهــم داد او خود کلام زندهٔ خدا بود و خدا به‌وسیلهٔ شــخصیت و اعمال و فرمایشات او با مردم سخن گفت. او تجلی و مظهــر کامل ذات خدا بود، از این رو خدا متی، یوحنا، پولس و سایر شــاگردان را هدایت نمود تا این کتب را که تصویری از عیسای مســیح است برای ما بنویســند. این کتاب‌ها ما را یاری می‌کنند تا چهرهٔ عیسی را مشاهده کنیم و پیغام خدا را که توسط او به ما می‌رسد به خوبی بشنویم.

دوستان عزیزم، بنابراین از آنچه نوشته‌ام به خوبی ملاحظه می‌فرمایید که کتاب‌مقدس اهمیت فراوانی دارد و بر هر کس فرض و لازم است که آن را دقیقــاً مطالعه نماید و یا به مطالب آن گوش فرا دهد زیرا تنها از آن می‌توان حقیقت مسیحیت و راه نجات را درک نمود. امیدوارم به زودی یک جلد کتاب‌مقدس تهیه فرمایید و اول عهدجدید را مطالعه کنید و پس از آن به عهدعتیق رجوع نماییــد؛ چون بعد از مطالعهٔ عهدجدید بهتر به مفهوم عهدعتیق پی خواهید برد. امیدوارم خدا توسط هر صفحه از کلام مقدس خود با شما سخن بگوید.

فصل ششم

عیسای مسیح
چگونه متولد شد و چه کرد؟

دوستان گرامی اکنون به مهمترین قسمت شرح ایمان مسیحی می‌رسیم و آن عبارت است از این که عیسای مسیح کیست و رابطهٔ او با انسان و خدا چیست. ولی اول خلاصه‌ای از شرح زندگی او را که در اناجیل چهارگانه یافت می‌شود ذکر خواهم نمود.

یک روز جبرئیل فرشته به دختر باکره‌ای به نام مریم اطلاع داد که دارای پسری خواهد شد که باید نام او را عیسی بگذارد. او پسر حضرت اعلی نامیده خواهد شد و سلطنت او جاودانی خواهد بود (لوقا ۲۶:۱-۳۸). این واقعه عبارت بود از انجام پیشگویی اشعیاء نبی که بیش از هفتصد سال قبل از آن فرموده بود: «باکره‌ای حامله شده خواهد زایید...» (اشعیاء ۱۴:۷). بعداً عیسی در شهر کوچکی نزدیک اورشلیم بنام بیت‌لحم، جایی که داوود هزار سال قبل به دنیا آمده بود متولد گردید. تولد عیسی در بیت‌لحم به‌وسیلهٔ میکاه نبی، همچون اشعیاء که بیش از هفتصد سال قبل از میلاد مسیح زندگی می‌کرد، پیشگویی شده بود «اما تو، ای بیت‌لحم اِفراتَه، گرچه در میان طوایف یهودا کوچکی، از تو کسی برای من بیرون خواهد آمد که بر اسرائیل فرمانروایی خواهد کرد؛ طلوع او از قدیم و از ایام ازل بوده است» (میکاه ۲:۵). هنگام تولد او، فرشته‌ای این واقعه را به چوپانان نزدیک بیت‌لحم اعلام کرد و چنین گفت: «... اینک بشارت خوشی عظیم به شما می‌دهم که برای جمیع قوم خواهد بود که امروز برای شما در شهر داوود نجات‌دهنده‌ای که مسیح خداوند باشد متولد شد» (لوقا ۱۰:۲ و۱۱).

مریم زن یوسف نجار شد و یوسف سرپرستی عیسی را در کودکی به عهده گرفت. عیسی هم در زمان جوانی در ناصره که در آنجا بزرگ شده بود به شغل نجاری اشتغال داشت. تا سی سالگی هیچ تعلیمی نداد و هیچ معجزه‌ای نکرد و مردم نمی‌دانستند که او همان مسیح موعود است که در انتظارش هستند. هنگامی که عیسی تقریباً سی ساله شد زمان آن رسید که خدمتی را که برای انجام آن به این جهان آمده بود شروع کند. بنابراین ناصره را ترک کرد و نزد یحیای تعمیددهنده رفت. در آن موقع یحیی پیام خدا را به عده زیادی که در اطرافش جمع بودند می‌رساند و آنها را به توبه دعوت می‌کرد و آنانی را که توبه می‌نمودند در رود اردن به نشانه پاکی از گناه تعمید می‌داد.

اگر چه عیسی در تمام زندگیش هرگز خطایی مرتکب نشده بود، از یحیای تعمیددهنده خواست که او را تعمید دهد و او نیز اطاعت نمود. وقتی عیسی بعد از تعمید از آب بیرون آمد روح خدا به صورت کبوتری از آسمان نازل شد و بر او فرود آمد و یحیی و عیسی صدای خدا را شنیدند که می‌گفت: «این است پسر محبوبم که از او خشنودم» (متی ۱۷:۳). (بعداً برای شما معنی پسر را توضیح خواهم داد). سپس عیسی به بیابان رفت و از آنجا مدت چهل روز، روزه گرفت و دعا نمود. در این مدت شیطان سعی کرد او را وسوسه کند که از خدا سرپیچی نماید ولی موفق نشد (متی ۱:۴-۱۱). عیسی پس از پیروزی بر شیطان نزد یحیی برگشت. وقتی یحیی عیسی را دید به شاگردان خود گفت: « این است برهٔ خدا که گناه از جهان برمی‌گیرد!... هر گاه دیدی روح بر کسی فرود آمد و بر او بمانْد، بدان همان است که با روح‌القدس تعمید خواهد داد. و من دیده‌ام و شهادت می‌دهم که این است پسر خدا» (یوحنا ۲۹:۱-۳۴).

مقصود یحیی از این که عیسی را برهٔ خدا می‌خواند این بود که عیسی برای گناهان بشر قربانی خواهد شد. سپس عیسی شروع به انتخاب شاگردان کرد و از بین آنها دوازده نفر را به‌عنوان رسول تعیین نمود. این اشخاص مردمانی بزرگ و تحصیل‌کرده نبودند، زیرا پطرس و یوحنا و بعضی دیگر ماهیگیر بودند و متی خراج‌گیر بود. ولی آنها متوجه شدند که

عیسی همان مسیح موعود می‌باشد و به همین جهت شغل‌های مختلف خود را ترک کردند و بدون اینکه در انتظار پول یا درآمد مادی باشند استاد خود را در حدود سه سال پیروی نمودند و همه جا پیاده به دنبال او رفتند. در این مدت عیسی آنان را برای اموری که می‌بایست به‌عنوان رسولان وی بعد از صعودش به آسمان انجام دهند آماده می‌کرد.

سپس عیسی مانند یحیی به موعظه کردن برای مردم پرداخت و فرمود: «زمان به کمال رسیده و پادشاهی خدا نزدیک شده است. توبه کنید و به این بشارت ایمان آورید» (مرقس ۱:۱۵). عیسی کلام خدا را در عبادتگاه یا در منازل مردم یا هنگامی که در اطرافش و روی تپه‌ها یا در کنار دریاچه جلیل گرد آمده بودند بیان می‌فرمود. تمام کسای که فرمایشات او را می‌شنیدند از حکمت و قدرت او در سخن گفتن متعجب می‌شدند زیرا او مانند پیامبران سخن نمی‌گفت بلکه مانند خدا. تمام انبیا گفته بودند: «بشنوید آنچه را خدا به شما می‌گوید» ولی هنگامی که عیسی به مردم سخن می‌گفت می‌فرمود: «من به شما می‌گویم». عیسی فوراً شروع به شفای بیمارانی نمود که به نزد او می‌آمدند و آنها را به‌وسیلۀ کلام خود یا به‌وسیلۀ دست گذاردن بر آنها شفا می‌بخشید. یک نفر که گرفتار بیماری جزام بود به پاهای او افتاد و گفت: «اگر بخواهی، می‌توانی مرا طاهر سازی»، عیسی پاسخ داد: «می‌خواهم طاهر شوی». دست‌های خود را بر روی آن جذامی گذاشت و آن مرد فوراً شفای کامل یافت (مرقس ۱:۴۱-۴۲).

بسیاری از کسانی که دارای ارواح پلید بودند نزد عیسی آمدند و او با کلام خود دیوها را از آنها بیرون کرد. او بر چشم‌های کوران دست گذاشت و آنها در دَم بینایی یافتند. او حتی چند نفر از مردگان را زندگی بخشید. طبیعتاً گروه‌های کثیری از مردم به دنبال او روان شدند و عیسی گاهی به قدری مشغول تعلیم دادن و شفا بخشیدن مردم بود که فرصتی برای غذا خوردن نداشت. او احتیاجات شخصی خود را نادیده می‌گرفت زیرا همیشه در فکر محبت کردن به مردم بود. هرگز حتی یک مرتبه هم به سود شخصی خود معجزه نکرد و هرگز قدرت خویش را برای متعجب

ساختن مردم به کار نبرد. جمیع کارهای معجزه‌آسای او برای آسایش و نجات مردم بیمار و دردمند بود تا بدین وسیله محبت خدا را به آنان آشکار سازد. یک روز که مردم فقیر و نیازمند را در اطراف خود دید آنان را با این دعوت پرلطف و آرامی‌بخش به‌سوی خود خواند «بیایید نزد من، ای تمامی زحمتکشان و گرانباران، که من به شما آسایش خواهم بخشید» (متی ۱۱:۲۸). از تمام کسانی که نزد او آمدند هیچ‌کس را ناامید برنگرداند.

یک بار مردی مفلوج را چهار نفر به نزد عیسی آوردند و در جلوی او قرار دادند. عیسی که می‌دانست این مرد علاوه بر شفای جسمی احتیاج به شفای روحی هم دارد به او گفت: «ای فرزند گناهان تو آمرزیده شد.» برخی از معلمین مذهبی که در آنجا حضور داشتند در دل خود فکر کردند «چرا این شخص چنین کفر می‌گوید؟ غیر از خدای واحد کیست که بتواند گناهان را ببخشد؟» عیسی افکار آنان را درک کرد و به آنان گفت که با شفای مرد مفلوج ثابت خواهد کرد که کفر نگفته است بلکه قدرت دارد گناهان را ببخشد. سپس به مرد مفلوج گفت: «تو را می‌گویم برخیز و بستر خود را برداشته به خانه خود برو» و آن مرد دستور مسیح را فوراً انجام داد (مرقس ۲:۱-۱۳). از آن به بعد بسیاری از رهبران مذهبی یهود به مخالفت با عیسی پرداختند زیرا آنان برای محبوبیتی که مسیح نزد مردم داشت نسبت به او سخت حسادت می‌ورزیدند. آنها از عیسی انتقاد می‌کردند که با گناهکاران معاشرت می‌کند و می‌خواهد آنها را نجات بدهد و از او ایراد می‌گرفتند که در روز سبت (روز شنبه) که روز مقدس آنان بود بیماران را شفا می‌دهد. به‌زودی نفرت آنان به‌قدری شدید گردید که تصمیم گرفتند عیسی را به قتل برسانند (مرقس ۲:۱۵-۳:۶). عیسی از این موضوع باخبر بود. او با همان قدرت الهی که مردگان را زنده می‌کرد می‌توانست دشمنان شریر خود را هلاک نماید ولی هرگز چنین نکرد.

او به شاگردانش تعلیم داد که دشمنان خود را محبت نمایند و برای آنان دعا کنند. او با طرز رفتاری که در مقابل دشمنان خود داشت برای شاگردان خود نمونه و سرمشق شد. در آن زمان قوم یهود مستقل نبود

زیرا رومی‌ها بر آنها حکمرانی می‌کردند. یهودیان آرزو داشتند که بتوانند از تسلط رومیان آزادی یابند. هنگامی که یهودیان دیدند عیسی توانست با پنج قرص نان و دو ماهی بیش از پنج هزار نفر را در بیابان غذا دهد، سعی کردند او را مجبور سازند که پادشاه آنان گردد (یوحنا ۶:۱-۱۵). آنها یقین داشتند که اگر عیسی سپاه خود را فرمان دهد هرگز کسی قادر نخواهد بود در مقابل ایشان بایستد. ولی عیسی از پادشاهی دنیوی امتناع ورزید زیرا سلطنت او روحانی و غیردنیوی بود. او می‌خواست بر قلوب و افکار مردم حکمرانی کند نه بر تختی که در اورشلیم باشد. وقتی یهودیان متوجه شدند که نمی‌توانند او را وسیله‌ای برای اجرای مقاصد سیاسی و انقلابی خود بسازند بسیاری از آنان به مخالفت برخاسته و دشمن او گردیدند. عیسی پیوسته از راضی ساختن مردم دوری می‌کرد و فقط در طلب رضای خدا بود.

تقریباً بعد از دو سال و نیم از تعمید عیسی وقتی مخالفت و ضدیت رؤسای مذهبی یهود نسبت به او شدت یافته بود، روزی عیسی از شاگردان خود پرسید: «شما مرا که می‌دانید؟» پطرس فوراً جواب داد: «تویی مسیح پسر خدای زنده» عیسی پطرس را برای جوابی که داده بود آفرین گفت و به او فرمود که خدا این حقیقت را بر او آشکار ساخته، و افزود که روی این حقیقت کلیسای خود را بنا خواهد نمود و هیچ نیرویی قادر نخواهد بود بر آن غلبه یابد. سپس به رسولان خود اعلام فرمود که لازم است به اورشلیم برود و به‌وسیلهٔ حکام مذهبی به مرگ محکوم شود و مصلوب گردد و روز سوم از مرگ قیام کند. رسولان که استاد خود را دوست می‌داشتند از این پیش‌گویی بی‌نهایت نگران شدند و پطرس به عیسی گفت: «حاشا از تو ای خداوند که این بر تو هرگز واقع نخواهد شد». ولی عیسی پطرس را نهیب داد و گفت که این فکر او که مسیح نمی‌باید بمیرد از شیطان است. زیرا عیسی به‌خوبی می‌دانست که این ارادهٔ خدا بود که او به‌عنوان قربانی به جهت گناهکاران روی صلیب جان بدهد و به همین دلیل هر کس که سعی نماید او را از راه صلیب بازدارد آلت دست شیطان است. سپس عیسی شاگردان خود را

آگاهانید که آنان نیز می‌باید برای حمل صلیب خود آماده باشــند و از فدا کردن جان خود به‌خاطر او خــودداری نکنند (متی ۱۶:۱۳-۲۶). بعد از این که شاگردان شــنیدند که استادشان باید بمیرد و آنها هم باید به‌خاطر او زحماتی متحمل شوند پیروی او را بسیار دشوار یافتند. ولی آنها استاد خود را ترک نکردند و شــش ماه بعد با او به اورشــلیم رفتند، جایی که عیسی می‌باید رنج فراوانی تحمل می‌نمود و جان خود را فدا می‌ساخت.

فصل بهار در فلسطین فرا رسید و بسیاری از یهودیان از دور و نزدیک به اورشلیم مسافرت می‌کردند تا در بزرگترین جشن سالانه مذهبی خود یعنی عید فصح/ پسخ شرکت نمایند. این جشن به آنان یادآوری می‌کرد که چگونه قوم اسرائیل به رهبریِ موسی توانست از اسارت مصر رهایی یابد. عیســی و شاگردانش نیز به این جماعت پیوستند و برای این جشن عازم اورشلیم شــدند. وقایع این هفته که آخرین روزهای زندگی عیسی روی زمین بود در هر چهار انجیل مفصلاً ذکر شده است. در این جا فقط می‌توانیم مختصری از آن را برای شما بیان کنیم.

یک روز یکشنبه عیسی وارد اورشلیم شد، مطابق پیش‌گویی زکریای نبی که گفته بود: «ای دختر صَهیون، بسیار شادی کن! و ای دختر اورشلیم، فریاد بلند سر ده! هان پادشاهت نزد تو می‌آید؛ او عادل و صاحب نجات اســت، فروتن و ســوار بر الاغ، بر کُرهٔ الاغ» (زکریا ۹:۹). سپس عیسی وارد معبد شــد و کســانی را که با خرید و فــروش آن محل مقدس را آلوده می‌ســاختند و عبادت‌کنندگان را غــارت می‌نمودند از آنجا بیرون کرد. عیسی رؤسای مذهبی را به علت بی‌ایمانی و ریاکاری و شرارتشان به‌شــدت محکوم نمود. همچنین پیش‌گویی فرمود که به سبب گناهانی که قوم مرتکب می‌شــدند معبد بزرگ اورشلیم به‌عنوان تنبیه الهی توسط دشــمنان کاملاً ویران خواهد شد. او مردم را از انبیای کاذب که خواهند آمد تا آنان را به گمراهی بکشــانند برحذر داشت. او فرمود که از آسمان با قدرت و جــلال بازخواهد آمد و تمام ملت‌ها را داوری خواهد کرد و ایمانداران را به ملکوت/ پادشاهی خدا خواهد پذیرفت و بی‌ایمانان را به مجازات ابدی محکوم خواهد نمود.

در شب پنج‌شنبهٔ همین هفته که مسیحیان معمولاً آن را هفته مقدس می‌خوانند، عیسی مراسم مخصوص شام عید فصح را با دوازده شاگرد خویش انجام داد. در این موقع عیسی قرص نانی را برداشت و آن را برکت داد و بین شاگردان خود تقسیم کرد و فرمود این است بدن من که برای شما پاره می‌شود. این را به یادگاری من انجام دهید. بعد از شام نیز جامی از شراب را که همیشه توسط یهودیان به‌عنوان جزئی از شام عید فصح نوشیده می‌شد برداشت و فرمود: «این جام، عهد جدید است در خون من. هر بار که از آن می‌نوشید، به‌یاد من چنین کنید» (اول قرنتیان ۱۱:۲۳-۲۶). بدین طریق عیسی به شاگردانش فرمود که به‌وسیلهٔ مرگش پیمان یا عهد تازه‌ای برقرار می‌شود. قبل از آن که اطاق را ترک گویند عیسی مهم‌ترین تعلیم خود را به شاگردان داد و به آنها فرمود که وظیفه دارند یکدیگر را محبت نمایند. او مجدداً به شاگردان خود تذکر داد که باید زحماتی را که به‌خاطر او خواهند کشید تحمل نمایند. به‌علاوه به آنها وعده فرمود که پس از صعود به آسمان روح‌القدس را خواهد فرستاد تا آنها را رهبری و کمک کند. وقتی نیمه‌شب شد عیسی شاگردان خود را به باغی خارج شهر برد تا با دعا خود را برای صلیب آماده سازد. دعایی که به پدر آسمانی خود کرد چنین بود: «نه خواهش من بلکه اراده تو کرده شود». هنگامی که هنوز مشغول دعا بود عده‌ای از افراد مسلح به راهنمایی یهودا (که یکی از دوازده شاگرد عیسی بود ولی به او خیانت کرد) به باغ وارد شدند. یهودا به عیسی نزدیک شد و او را بوسید تا گروهی که با او بودند در تاریکی شب اشتباهاً شخص دیگری را دستگیر نکنند.

چقدر آسان بود که عیسی یهودا و یارانش را با گفتن یک کلمه نابود کند! ولی او این کار را نکرد بلکه خود را به آنان تسلیم نمود. هنگامی که پطرس شمشیر کشید و به دفاع از استادش برخاست، عیسی او را منع نمود و یکی از دشمنان را که پطرس زخمی کرده بود شفا بخشید (لوقا ۲۲:۳۲-۵۱). سپس آنان عیسی را به محلی بردند که عده‌ای از رؤسای مذهبی گرد هم جمع شده بودند تا بهانه‌ای برای کشتن عیسی بیابند ولی موفق نشدند. در پایان رئیس آنها عیسی را سوگند داد و از او پرسید: «آیا

تو مسیح پسر خدای متبارک هستی؟» (مرقس ۱۴:۶۱-۶۴). چون حکام یهود نمی‌توانستند کسی را بدون اجازه دولت روم اعدام کنند به همین دلیل روز جمعه صبح زود عیسی را به قصر پیلاطس حاکم روم بردند و به پیلاطس گفتند که عیسی از دشمنان دولت روم است و می‌خواهد خود را پادشاه سازد. وقتی پیلاطس عیسی را بازجویی کرد فوراً متوجه شد که این اتهام دروغ است و به همین دلیل خواست او را آزاد سازد. ولی حکام یهود جمعیت را تحریک کردند تا اعدام عیسی را تقاضا نمایند. پیلاطس که می‌ترسید آشوبی به پا شود تسلیم تقاضای آنها شد و دستور داد عیسی را بر صلیب به هلاکت برسانند. بلافاصله عیسی توسط سربازان رومی به خارج شهر اورشلیم برده شد و او را در آنجا مصلوب کردند. هنگامی که او را مصلوب می‌کردند عیسی برای آنانی که او را به قتل می‌رساندند این‌طور دعا کرد «ای پدر اینها را بیامرز زیرا نمی‌دانند چه می‌کنند» (لوقا ۲۳:۳۴). چه محبت حیرت‌انگیزی است که کسی از پدرش بخشش کسانی را بخواهد که مشغول میخ کوبیدن بر دست‌ها و پاهای او هستند!

عیسی می‌توانست از پدر آسمانی خود تقاضا کند که او را از رنج کشیدن بر صلیب نجات بخشد و به آسمان ببرد ولی چنین درخواستی نکرد. او به‌خوبی می‌دانست که ارادهٔ خدا این بود که او رنج بکشد و به‌عنوان قربانی برای گناهکاران جان بدهد و به همین دلیل پدر آسمانی خویش را اطاعت نمود و در حدود شش ساعت روی صلیب رنج و عذاب کشید، سپس در ساعت سه بعد از ظهر چنین فرمود: «ای پدر روح خود را به دست‌های تو می‌سپارم» (لوقا ۲۳:۴۶). عیسی پس از این سخنان جان سپرد. آنگاه سربازی بر پهلوی عیسی نیزه زد و افسر مسئول به پیلاطس گزارش داد که عیسی مرده است. دو نفر از متنفذین یهود که به عیسی ایمان آورده بودند نزد پیلاطس رفته، بدن عیسی را از او خواستند و به ایشان داده شد. آنان بدن را از صلیب پایین آوردند و آن را با پنجاه کیلو ادویه و عطریات پوشانیدند و سپس با کتان پیچیدند و آن را در قبری که در داخل صخره‌ای کنده شده و شبیه غاری در کنار تپه‌ای بود، قرار دادند. بعداً سنگ بزرگی شبیه سنگ آسیاب در جلوی آن

قبر گذاشتند و پیلاطس دستور داد آن را مهر و موم کنند و سربازان بر آن نگهبانی نمایند تا کسی نتواند به قبر وارد شود. عیسی قبلاً به شاگردان خود فرموده بود که مصلوب خواهد شد و در روز سوم از مرگ خواهد برخاست. آنان تصور کردند که عیسی برای آنها مَثَل می‌آورد و وقتی جان داد و دفن شد دیگر امیدی نداشتند که بتوانند مجدداً او را روی زمین ببینند. لیکن صبح روز یکشنبه وقتی برخی از شاگردانش بر سر قبر رفتند، دیدند قبر باز است. وقتی داخل قبر شدند کتانی را که به دور جسد عیسی پیچیده بودند دیدند، ولی خالی بود یعنی بدن عیسی در آن نبود. بعداً عیسی که زنده شده بود به بعضی از آنها ظاهر شد و با آنان صحبت کرد و آنها او را شناختند. آن شب با وجودی که در و پنجرهٔ اطاقی که شاگردان در آن جمع بودند بسته بود عیسی به اطاق وارد شد و با آنها صحبت کرد و آنها را مطمئن ساخت که زنده است.

در مدت چهل روز بعد عیسی بارها در مکان‌های مختلف به شاگردان خود ظاهر شد و برای آنها توضیح داد که چرا لازم بود رنج بکشد و جان بدهد. او همچنین دستور داد که شاگردانش به سراسر جهان رفته این مژده را به مردم برسانند که اگر عیسی را به‌عنوان نجات‌دهنده و خداوند خود بپذیرند، خداوند نیز گناهان آنان را خواهد بخشید. او به پیروان خود فرمود که چند روزی در اورشلیم بمانند تا روح‌القدس را بیابند و برای کاری که در پیش دارند مجهز شوند. در پایان، پس از این که به آنها وعده داد که خودش تا پایان جهان توسط روح‌القدس همراه آنان خواهد بود، در حالی که به او نگاه می‌کردند به آسمان بالا برده شد. عیسی قبل از صعودش به آسمان هرگز جانشینی برای خود تعیین نفرمود و هرگز پیش‌گویی نکرد که پیامبری خواهد آمد تا جای او را بگیرد. شاگردان، وقتی استاد محبوبشان از نظرشان ناپدید شد به گریه و زاری نپرداختند، زیرا می‌دانستند که او همیشه توسط روح‌القدس با آنها خواهد بود و طبق وعده‌ای که داده است یک روز به این جهان باز خواهد گشت. آنان با شادی بسیاری وقت خود را صرف دعا کردند و منتظر دریافت روح‌القدس بودند که عیسی وعده فرموده بود به‌زودی خواهد فرستاد.

ده روز بعد از صعود عیسی به آسمان در موقع عید پنطیکاست یهودیان، وقتی در حدود صد و بیست نفر از شاگردان عیسی گرد هم جمع آمده بودند واقعۀ بسیار عجیبی روی داد. آنها صدایی شبیه صدای باد شنیدند ولی صدای باد نبود. آنها دیدند که چیزی شبیه زبانه‌های شعلۀ آتش بر آنان نازل می‌شود ولی در واقع آتش نبود. سپس آنان به زبان‌های مختلف بیگانه که قبلاً هرگز نیاموخته بودند سخن گفتند. انبوه جمعیت از سرزمین‌های مختلف به گرد شاگردان جمع آمدند و هر کس پیغام خدا را به زبان مادری خود می‌شنید و همه از این واقعه متحیر شدند. آنگاه پطرس برخاست و جماعت را مخاطب ساخته و گفت که عیسی وعدۀ خود را در مورد عطای روح‌القدس انجام داده است. پطرس با قدرت روح‌القدس تشریح کرد که چرا لازم بود عیسی برای گناهکاران فدا شود و خدا چگونه او را از مردگان برخیزانید. او گفت که خودش و سایر رسولان شاهدان عیسای قیام‌کرده از مردگان بوده‌اند و مردم را تشویق کرد توبه کنند و به عیسای مسیح ایمان آورند تا گناهانشان آمرزیده شود. روح‌القدس موعظۀ پطرس را وسیله قرار داد تا قلوب مردم را دگرگون نماید به‌طوری که در همان روز سه هزار نفر از یهودیان ایمان آوردند و به نشانۀ پاکی از گناه به نام عیسی در آب تعمید گرفتند.

پس از این واقعه رسولان و سایر شاگردان عیسی به رساندن مژده نجات در شهر اورشلیم و سایر شهرها ادامه دادند به‌طوری که بسیاری ایمان آوردند. بعداً سرانِ یهود به‌طوری که عیسی پیش‌گویی فرموده بود به ایمانداران آزار رساندند و حتی برخی از آنان را کشتند. در نتیجه بسیاری از پیروان عیسی از فلسطین فرار کردند و هر جا می‌رفتند مژده عیسی را می‌رساندند، به‌طوری که بسیاری از یهودیان به عیسی ایمان آوردند. بعدها خدا پطرس را هدایت فرمود که به خانه افسری که یهودی نبود برود و پیغام نجات را به او و خانواده‌اش برساند. تمام اعضای این خانواده ایمان آوردند و تعمید گرفتند و روح‌القدس را یافتند. بدین طریق واضح گردید که خدا مایل است تمامی بشر، هم یهودیان و هم امت‌ها، نجات یابند.

یکی از پیشـوایان یهود که سـولس نام داشت از مخالفین سرسخت پیروان عیسی بود و به دسـتگیری و محبوس ساختن و قتل آنها اشتغال داشت. هنگامی که عازم دمشـق بود تا ایمانداران آنجا را دستگیر نماید عیسـای مسیح زنده از آسمان بر او نازل شد و به او فرمود: «چرا مرا آزار می‌رسـانی؟» سولس وقتی مسـیح زنده را دید به او ایمان آورد و مسیح هم او را یکی از رسـولان خود ساخت. بعداً به‌نام پولس معروف گردید و برای رسـانیدن مژده نجات مسیح به رومی‌ها و یونانی‌ها بیش از همه زحمت کشـید. به‌علاوه پولس رسول سیزده نامه از نامه‌های عهدجدید را نوشت.

انسـان وقتی در عهدجدید شرح توسعۀ مسیحیت را بعد از مصلوب شدن و رستاخیز مسـیح می‌خواند به‌خوبی متوجه می‌شود که بعد از رفتن مسیح به آسـمان کارش پایان نیافت. آنچه پطرس و پولس و سایر ایمانداران انجام دادند در واقع کاری بود که مسـیح توسـط آنها انجام می‌داد. چون او از مرگ برخاست و زنده است. برخلاف آنچه عده‌ای به اشتباه تصور می‌کنند، دیگر لازم نبود عیسی برای خود جانشینی انتخاب نماید. او خود همیشـه نزد پیروانش حاضر اسـت. چه خوب است که انسان چنین نجات‌دهندۀ مهربان و پرقدرتی داشته باشد که همیشه زنده و حاضر است، و به کسـانی که به او اعتماد دارند کمک می‌کند. توسعه و پیشـرفت حیرت‌انگیز مسیحیت در صد سال اول پس از مرگ عیسای مسیح نه به‌وسیلۀ جنگ و خون‌ریزی انجام شد و نه از راه اِعمال نفوذ سیاسی و نه با دانش و ثروت مسیحیان. در تمام قسمت‌های امپراطوری روم و همچنین در سـایر سرزمین‌ها بسیاری از یهودیان و بت‌پرستان به مسـیح ایمان آوردند و بدین‌طریق فرزندان خدا شدند. این کار به‌وسیلۀ اعلام مژدۀ محبت خدا در مسـیح و به‌وسیلۀ روح‌القدس در فکر و قلب شنوندگان عملی گردید.

فصل هفتم

عیسای مسیح کیست؟

دوستان گرامی، یقین دارم اکنون می‌خواهید سؤالی را مطرح بفرمایید که بسیاری مایلند جواب آن را بدانند و یکی از مهم‌ترین سؤالات جهان به شمار می‌رود، و آن اینکه: این شخص برجسته که شرح حالش در اینجا به‌طرز خلاصه نقل شده است کیست؟ کتاب‌های قطور زیادی برای پاسخ به این سؤال مهم نوشته شده است و هر چند مشکل بتوان به‌طور خلاصه شرح داد که عیسای مسیح کیست ولی کوشش خواهم کرد این کار را انجام دهم. چون یگانه منبع کاملاً معتبر در این مورد کتاب‌مقدس است، تمام نکاتی که ذکر خواهم کرد بر کتاب‌مقدس متکی خواهد بود.

از شرح زندگی عیسای مسیح که در چهار انجیل وجود دارد معلوم می‌شود که او واقعاً انسان بود. گرچه پدر جسمانی نداشت ولی از طریق مادرش مریم از نسل داوود یعنی پیامبر و پادشاه بزرگ اسرائیل بود. عیسی مانند تمام مردم از نظر جسمی و فکری و روحی رشد کرد. غذا می‌خورد و می‌خوابید، و شغلش نجاری بود. او خسته می‌شد و با خوشی‌ها و رنج‌های مردم کاملاً آشنا گردید. بنابراین او قادر است در تمام تجربه‌های بشری با ما همدردی کند (عبرانیان ۱۸:۲ و ۱۵:۴). چون عیسی انسان بود می‌توانست ازدواج کند و فرزندانی داشته باشد ولی این کار را نکرد. بدون شک تصمیم او در این مورد با اطاعت کامل از نقشه‌ای که خدا برای او داشت اتخاذ گردید. لیکن هر چند عیسی واقعاً انسان بود ولی از بعضی جهات با دیگران تفاوت زیادی داشت. همان‌طور که قبلاً توضیح داده شد تمام مردم حتی انبیا و مقدسین، گاهی از اطاعت خدا غفلت نموده‌اند و به همین دلیل گناهکار هستند. ولی در تمام زندگی عیسی هرگز کاری یا سخنی یا فکری که برخلاف ارادهٔ مقدس خدا باشد

مشـاهده نشد. بنابراین او تنها انسـان بی‌گناه است (اول پطرس ۲۲:۲ و اول یوحنا ۵:۳). او نه تنها گناه نکرد بلکه اراده‌اش با ارادهٔ خدا مطابقت کامل داشت. او در واقع یگانه انسان کاملی است که در این جهان خاکی زندگی کرده است. اشخاصی که اعمال مسیح را دیدند شهادت دادند که قدرتش حیرت‌انگیز بوده است. زمانی کور مادرزادی را ملاقات کرد و به او بینایی بخشید. در موقع دیگر وقتی او و شاگردانش سوار قایق کوچکی بودند و از دریاچهٔ جلیل می‌گذشـتند، طوفان عظیمی نزدیک بود قایق را غرق کند ولی عیسی به باد و طوفان فرمان داد و دریا فوراً آرام شد. عیسی مردی به نام ایلعازر را که چهار روز از مرگش گذشـته بود از قبر بیرون خواند و آن مرده فوراً برخاست و از قبر بیرون آمد.

ولـی عظیم‌ترین عمل حیرت‌انگیـز عیسـی این اسـت که مطابق پیش‌گویی‌های عهدعتیق روز سـوم پس از مرگ قیام کرد و به شاگردان خود ظاهر شـد. چه کسـی غیر از عیسی توانسته اسـت چنین اعمالی انجام دهد؟ چه کسی را می‌شناسید که از مردگان برخیزد و دیگر نمیرد؟ هیچکس! بنابراین واضح اسـت که گرچه عیسـی واقعاً انسان بود ولی از بزرگ‌ترین انسـان‌ها هم بزرگتر بود. پس او کیست؟ چنانکه قبلاً ذکر نمودم عیسـی خود ادعا کرد که پسر خداسـت. او نه فقط در محاکمه خود در شورای یهود بلکه قبل از آن محاکمه این ادعای مهم را در مورد خود نموده بـود. به‌علاوه او خدا را معمولاً «پـدر من» خطاب می‌کرد. یک بار وقتی فرمود «من و پدر یک هستیم» دشمنانش می‌خواستند او را سنگسـار کنند زیرا تصور کردند که عیسی کفر می‌گوید. ولی ما به‌خوبی می‌دانیم که عیسـی هرگز دروغگو و کفرگو نبود. زیرا تمام فرمایشاتش کاملاً صحیح و درست بوده است. باید به این نکته توجه داشته باشیم که اگر کسی بگوید که عیسی پسر خدا نیست، عیسی را دروغگو می‌شمارد و اگر عیسی دروغگو باشـد هیچکس نباید به او ایمان داشته باشد. ولی وقتی عیسی ادعا می‌کرد که پسـر خداست در واقع همان فرمایش خدا را که در موقع تعمید وی از آسـمان شنیده شـد تکرار می‌کرد: «تو پسر محبوب من هستی و من از تو خشنودم» (مرقس ۱۱:۱).

در نوشته‌های رسولان بارها تکرار شـــده که عیسی پسر خداست و تمام مسیحیان جهان این ادعا را همیشه قبول داشته‌اند. البته توجه دارید که این اصطلاح مفهوم جسمانی ندارد بلکه دارای مفهوم روحانی است. بدیهی اســـت که خدا هرگز با زنی ازدواج نکرده تا از او پســـری داشته باشـــد زیرا چنیـــن کاری غیرممکن و غیر قابل تصور اســـت. در انجیل عیســـی «کلمهٔ/ کلام خدا» هم نامیده می‌شود. لقب پسر خدا همبستگی و یگانگی عیســـی را با خدا که پدر واقعی او اســـت نشان می‌دهد. ولی لقب «کلمهٔ خدا» به ما می‌فهماند که خدا به‌وســـیلهٔ عیسای مسیح با نوع بشر ســـخن می‌گوید. در انجیل این طور می‌خوانیم: « در آغاز کلام بود و کلام بـــا خدا بود و کلام، خـــدا بود؛ همان در آغاز بـــا خدا بود. همه چیز به‌واســـطهٔ او پدید آمد، و از هر آنچه پدیـــد آمد، هیچ چیز بدون او پدیدار نگشـــت. در او حیات بود و آن حیات، نور آدمیان بود.... و کلام، انسان خاکی شـــد و در میان ما مسکن گزید. و ما بر جلال او نگریستیم، جلالی درخور آن پسر یگانه که از جانب پدر آمد، پر از فیض و راستی.» (یوحنا ۱:۱-۱۴)

مقصود آیات ذکر شده این است که خدا که قبلاً به‌وسیلهٔ انبیا و کتب آنها با انســـان ســـخن گفته بود بالاخره خود را به‌صورت کامل به‌وسیلهٔ شخصی کامل مکشوف فرمود. این شخص کامل از پیامبر بسیار بزرگتر، و در واقع با خدا یکی اســـت. زیرا این آیات انجیل به ما می‌گویند که این شخص کلمهٔ خدا و پسر خداست. او از ابتدا با خدا یکی بود و همه چیز به‌وســـیلهٔ او آفریده شد. ســـپس در زمان مقرر کلمه ابدی خدا در رحمِ مریم باکره جسم بشری گرفت و به‌صورت انسانی (عیسی) متولد گردید. بنابراین ملاحظه می‌کنیم که او دارای دو طبیعت و یا دو جنبه بوده است، یکی جنبه الهی و دیگری جنبه انســـانی. عیســـای مسیح هم خداست و هم انسان. اولین کسانی که به عیســـی ایمان آوردند و رسولان او شدند یهودی بودند و به یکتاپرســـتی و وحدانیت خدا اعتقاد کامل داشـــتند. با وجود این، پس از حدوداً دو ســـال زندگی با عیسی اطمینان کامل یافتند که استادشان با خدا یکی اســـت و به همین دلیل بود که پطرس اعتراف

کرد: «تویی مسیح پسر خدای زنده» (متی ۱۶:۱۶). همچنین توما هنگامی که عیسای زنده را پس از قیامش از مرگ دید فریاد برآورد: «ای خداوند من و خدای من!» (یوحنا ۲۸:۲۰). در هر دو مورد عیسی شاگردان خود را برای ایمانی که نسبت به او داشتند تحسین نمود و به توما گفت: «آیا چون مرا دیدی ایمان آوردی؟ خوشا به حال آنان که نادیده، ایمان آورند» (یوحنا ۲۴:۲۰-۲۹). این «خوشا به حال» امروز نصیب ما هم می‌شود به شرطی که ایمان داشته باشیم که عیسی پسر خداست.

اکنون می‌دانم که مایلید بپرسید: «در صورتی که خدا واحد است چگونه امکان دارد که عیسای مسیح پسر خدا بوده و با خدا یکی باشد؟» در واقع این موضوع از اسراری است که فهم آن بالاتر از عقل محدود ما می‌باشد. چه کسی غیر از خود خدا می‌تواند به ذات و ماهیت الهی پی ببرد؟ ولی باید متوجه باشیم که خدا قادر مطلق است و آنچه برخلاف ارادهٔ مقدس او نباشد برایش غیرممکن نیست. به‌علاوه در طبیعت که توسط خدا آفریده شده می‌توانیم، هرچند به‌طور ناقص، نمونه‌ای از این سِر یا حقیقت الهی را مشاهده نماییم. خورشید را ملاحظه کنید که در آسمان قرار دارد و به‌قدری عظیم و پرحرارت است که اگر به زمین نزدیکتر شود همه از بین خواهند رفت. خورشید نور خود را، که در حقیقت با خود آن تفاوتی ندارد، می‌تاباند و به‌وسیلهٔ آن به دنیای ما نور و حرارت می‌بخشد. به همین طریق خدای بزرگ ما نور خود را که با خودش یکی است به دنیای ما می‌تاباند تا به ما حیات ببخشد. خدا این نور را کلمه/کلام خود و پسر خود می‌خواند. این نور به‌صورت عیسای مسیح ظاهر شد که در مورد خود فرمود: «من نور جهانم. هر که از من پیروی کند، هرگز در تاریکی راه نخواهد پیمود، بلکه از نورِ زندگی برخوردار خواهد بود» (یوحنا ۱۲:۸). هنگامی که نور خورشید را می‌نگریم خورشید را مشاهده می‌کنیم، به همین شکل، وقتی به عیسای مسیح می‌نگریم خدا را می‌بینیم. عیسی فرمود: «هر کس که مرا دید پدر را دیده است» (یوحنا ۹:۱۴). بنابراین ما مسیحیان مطمئن هستیم که خدا خود توسط پسرش عیسای مسیح به‌سوی ما آمده است.

دوستان گرامی، آیا به نظر شما عجیب است که خدای قادر مطلق برای نجات بشر گناهکار به این طریق به جهان آید؟ ولی فراموش نفرمایید که خدایی که بی‌اندازه بزرگ است تمام کارهای خود را از روی محبت انجام می‌دهد و به‌وسیلۀ آمدنش به جهان در شخص مسیح، محبت الهی خود را کاملاً بر ما مکشوف نموده است. بدون شک شما داستان پادشاه عادلی را که مردم سرزمین خود را بی‌نهایت محبت می‌نمود شنیده‌اید که چگونه گاهی ردای سلطنتی خود را کنار می‌گذاشت و لباس فقیرانه‌ای به تن می‌کرد و به خانه مردم بی‌چاره می‌رفت تا با آنان صحبت کند و به آنها کمک نماید. البته این نمونۀ ناقص و غیرکافی فقط تا حدی نشان می‌دهد که چگونه پسر خدا که با پدر یکی بود جلال آسمانی را ترک کرد و به زمین آمد و چون انسانی خاکی زندگی کرد تا محبت عمیق خدا را به انسان‌ها آشکار سازد و آنان را به‌سوی خدا رهبری نماید. این نوع محبت بسیار حیرت‌انگیز است!

فصل هشتم

کار مسیح در جهان چه بود؟

به‌طوری که ملاحظه کردیم عیسای مسیح به جهان آمد تا خدا را بر انسان ظاهر سازد و انسان را به خدا نزدیک کند و ملکوت خدا را بر زمین پایه‌گذاری نماید. در فصل دوم توضیح دادم که چگونه انسان بر ضد خدا عصیان کرد و نه تنها به‌وسیلهٔ دیوار گناه از خدای مقدس جدا شد بلکه چنان ناتوان گردید که دیگر نمی‌توانست خودش به تنهایی خدا را اطاعت نماید و در حضور او زندگی کند. بنابراین خدا تصمیم گرفت دیوار گناه را از بین برده، قلب شرارت‌آمیز بشر را تغییر دهد تا این که انسان هم تمایل داشته باشد و هم قدرت پیدا کند که خدا را محبت و اطاعت نماید. خدا این عمل را چگونه انجام داد؟ اکنون سعی می‌کنم یکی از مهم‌ترین عقاید اصولی مسیحیت را توضیح دهم.

چنان که قبلاً بیان کردم خدای مقدس به آدم و حوا فرمود که اگر نافرمانی کنند خواهند مرد. والدین اولیه ما فرمان خدا را در مورد خودداری از خوردن میوهٔ درخت معرفت نیک و بد اطاعت نکردند و خدا آنان را به مرگ محکوم نمود. ولی ضمن این که آنها را تنبیه نمود به آنان وعده‌ای نیز داد تا آنان و فرزندان‌شان به‌کلی ناامید نباشند. شیطان به‌شکل ماری ظاهر شده و آنها را فریب داده بود، و به همین دلیل خدا به آنان اعلام داشت که شخصی از نسل «زن» در آینده سر مار را خواهد کوبید و مار هم پاشنه او را خواهد کوبید (پیدایش ۱۵:۳). مقصود خدا این بود که نجات‌دهنده‌ای که از نسل زن متولد می‌شود ظاهر خواهد شد و شیطان را مغلوب خواهد کرد ولی در ضمن انجام این کار خودش توسط شیطان زخمی خواهد شد. این اولین وعده در مورد آمدن عیسای مسیح پسر مریم بود که به‌وسیلهٔ جان دادن بر صلیب به‌خاطر گناهکاران

و به‌وسیلهٔ قیام خود از مردگان، شـیطان را شکست داد. مدت‌ها بعد از این وعده خدا وعده‌ای واضح‌تر و کامل‌تر به‌وسـیلهٔ اشعیای نبی اعلام داشت. اشعیا در کتاب خود که صدها سال قبل از تولد مسیح نوشته شد، در مورد آمدن شخصی پیش‌گویی می‌کند که به جای گناهکاران متحمل رنج و عذاب و مرگ خواهد شـد تا آنها بخشـیده شوند و حیات یابند. اشـعیا انجام این واقعه را چنین پیش‌گویی می‌کند: «حال آنکه به سـبب نافرمانیهای ما بدنش سـوراخ شـد، و به جهت تقصیرهای ما لِه گشت؛ تأدیبی که ما را سلامتی بخشید بر او آمد، و به زخمهای او ما شفا می‌یابیم. همهٔ ما چون گوسـفندان، گمراه شـده بودیم، و هر یک از ما به راه خود رفتـه بود، اما خداونـد تقصیر جمیع ما را بر وی نهـاد.. زیرا او گناهان ایشان را بر خویشـتن حمل خواهد نمود» (اشعیا باب ۵۳). خلاصه این نجات‌دهنده‌ای که خدا وعده داد به‌عنوان قربانی برای گناهان بشـر جان خود را فدا کرد.

به‌طوری که در بالا توضیح دادم این درسـت کاری بود که عیسـای مسـیح انجام داد. یحیای تعمیددهنده گفت که عیسی برهٔ خدا است که گناهان جهان را برمی‌دارد (یوحنا ۲۹:۱). خود عیسـی نیز قبل از مرگش فرمود که خون او برای آمرزش گناهان زیادی ریخته خواهد شـد (متی ۲۸:۲۶). سـپس خودش را داوطلبانه تسـلیم کرد تا قربانی شـود. او با بخشیدن جان خود برای نجات گناهکاران محبت خدا را نسبت به انسان ظاهر ساخت و همچنین محبت الهی خودش را نشان داد. به قول پولس رسول: «هنگامی که ما هنوز گناهکار بودیم عیسی در راه ما مرد» (رومیان ۵:۸). عیسـی فرمود: «خدا جهان را آنقدر محبت کرد که پسر یگانهٔ خود را داد تا هر که به او ایمان آوَرَد هلاک نگردد، بلکه حیات جاویدان یابد» (یوحنا ۱۶:۳). خدا عادل است و گناهکاران را نخواهد بخشید مگر این که تاوان گناهان آنان پرداخته شود. هیچ‌کس حتی اگر پیغمبر هم باشد به اندازه‌ای خوب و کامل نیست که بتواند برای گناهان مردم و یا حتی برای گناهان خودش قربانی شـود. پس خدا به‌خاطر رحمت و محبت عظیم خویش در مسـیح ظاهر شد تا گناهان ما را بر خود بگیرد. به‌وسیلهٔ مرگ

پسرش که با او برابر است، خدا کیفر گناهان تمام کسانی را که به عیسی ایمان می‌آورند پرداخته است.

پسر خدا به قدری عالی مرتبه است که فقط یک بار قربانی شدن او برای کفارهٔ گناهان جهان کافی می‌باشد. به همین دلیل قربانی دیگری برای گناهکاران نیاز نیست. بنابراین عیسای مسیح به‌وسیلهٔ مرگ داوطلبانه خویش بر صلیب دیوار جدایی بین انسان و خدا را از بین برد و برای گناهکاران این امکان را بوجود آورد که بخشیده شده، به خدای مقدس نزدیک شوند. عیسی نه فقط بهتر از هر شخص دیگری خدا را معرفی کرد، بلکه به‌وسیلهٔ زندگی مقدس خویش و محبت عمیق خود در مرگ برای ما گناهکاران، اراده و نیت خدا را برای ما آشکار ساخت. شخص مؤمنی در ایران روزی به من گفت: «قبل از این که مسیحی شوم فکر می‌کردم خدا را می‌شناسم، ولی در واقع او را نمی‌شناختم؛ تنها هنگامی توانستم خدا را واقعاً بشناسم که او را در عیسای مسیح دیدم.» هر جویندهٔ خدا، خدا را در مسیح خواهد یافت. قبل از این که این قسمت را که دربارهٔ عیسای مسیح است خاتمه دهم مایلم برخی از اسامی و عناوین او را ذکر نمایم:

۱- اسم او عیسی است که از یک کلمه عبری به معنی «یهوه نجات است» گرفته شده است.

۲- عنوان اصلی او «مسیح» به معنی «مسح شده» می‌باشد. او به‌وسیلهٔ خدا مسح شد تا پادشاه ابدی باشد. این همان عنوان عبری «ماشیح» می‌باشد که به‌وسیلهٔ یهودیان برای پادشاهی که ظهورش توسط پیامبران پیش‌گویی شده بود به‌کار می‌رفت.

۳- او «عمانوئیل» است به معنی «خدا با ما».

۴- او «پسر خدا» است.

۵- او «کلمه/ کلام خدا» است.

۶- «پسر انسان». این همان عنوانی است که عیسی غالباً در موقع اشاره به خود به کار می‌برد. او هم خداست و هم انسان.

۷- او «برهٔ خدا» است.

۸- او «نجات‌دهندۀ جهان» است.

۹- او «پادشاه پادشاهان» است.

۱۰- او «خداوند» است.

۱۱- او «شبان نیکو» است.

۱۲- او «راه» است.

۱۳- او «حقیقت» است.

۱۴- او «حیات» است.

۱۵- او «نان حیات» است.

۱۶- او «تاک حقیقی» است.

۱۷- او «انسان کامل» است.

۱۸- او «داور» است.

۱۹- او «کاهن اعظم» است.

۲۰- او «قیامت» است.

۲۱- او «خداوند جلال» است.

فصل نهم

انسان چه باید بکند تا به‌وسیلهٔ خدا بخشیده شود و از گناه نجات یابد؟

دوستان گرامی، اکنون سؤالی می‌پرسیم که برای من و شما و تمام مردم جهان اهمیت فراوانی دارد. چون به‌خوبی می‌دانیم که گناهکاریم و باید از خدا درخواست کنیم به ما نشان دهد که چه باید بکنیم تا او ما را بخشیده، به حضور خود قبول فرماید. به‌طوری که می‌دانید عقاید مختلفی در این مورد وجود دارد. برخی فکر می‌کنند که چون از نژاد بخصوصی هستند و یا پیرو مذهب بخصوصی هستند بدون شک مورد قبول خدا خواهند بود. عده‌ای دیگر معتقدند که به‌وسیلهٔ انجام کارهای نیک می‌توانند کارهای شرارت‌آمیزشان را جبران نموده، بدین طریق نجات خود را به‌دست آورند. بعضی هم امیدوارند که یکی از انبیا یا مقدسین برای آنان دعا خواهد نمود و خدا را راضی خواهد کرد که آنان را ببخشد. لیکن کتاب‌مقدس به ما تعلیم می‌دهد که به‌وسیلهٔ هیچ‌یک از این کارها نمی‌توانیم نجات ابدی را به‌دست آوریم. هیچ‌یک به اندازه کافی خوب نیست که مورد قبول خدای قدوس قرار گیرد.

آیا دیگر امیدی برای ما گناهکاران وجود ندارد؟ خدا را سپاس باد که امیدی برای ما وجود دارد! آنچه ما نتوانستیم برای خود انجام دهیم و آنچه هیچ پیامبری نتوانست برای ما انجام دهد، خداوند به‌خاطر محبت خویش انجام داده است. کتاب‌مقدس می‌گوید: «و اوست کفاره به جهت گناهان ما و نه گناهان ما فقط بلکه به جهت تمام جهان نیز... خون پسر او عیسای مسیح ما را از همه گناهان پاک می‌سازد... اگر به گناهان خود اعتراف کنیم او امین و عادل است تا گناهان ما را بیامرزد و ما را از هر ناراستی پاک سازد...» (اول یوحنا ۲:۲ و ۱:۷ و ۹). بنابراین می‌بینیم راهی

که خدا برای ما گناهکاران گشــوده است تا به‌وسیلهٔ آن به‌سوی او بیاییم و مورد قبولش واقع شــویم این اســت که به عیسای مسیح یعنی قربانی واقعی گناه ایمان آوریم. راه دیگری وجود ندارد، زیرا عیســی می‌فرماید: «من راه و راســتی و حیات هســتم؛ هیچ‌کس جز به‌واسطهٔ من، نزد پدر نمی‌آید» (یوحنا ۶:۱۴). خدا پســر خود را فرستاد تا همه مردم جهان را نجات بخشند و عیسی همه را دعوت می‌کند تا به‌سوی او بیایند. او گفت هرگز کسی را که به‌ســوی او می‌آید رد نخواهد کرد. معنی این فرمایش این اســت که هر کس در این جهان از گناه خود متنفر است و صمیمانه توبه کند و مســیح را که پسر خداست به‌عنوان نجات‌دهندهٔ خود بپذیرد حتماً بخشیده خواهد شــد. هر کس اعم از پیر و جوان، فقیر و دولتمند، تحصیل‌کرده و بی‌سواد و بد و خوب می‌تواند به‌سوی او بیاید.

لیکن باید دانســت که ایمان به مســیح فقط این نیست که ما به‌طور سطحی او را پسر خدا بدانیم. معنی ایمان به مسیح این است که خود را به او بسپاریم همان‌طوری که بیمار خود را به دست دکتر باتجربه می‌سپارد و باور دارد که وی را شفا خواهد بخشید. ما مسیحیان خوشحالیم که مسیح برعکس موســی و سایر انبیای گذشــته مرده نیست و در قبر قرار ندارد. او زنده اســت و از طریق روح‌القدس با ما می‌باشــد. چنانکه در دوران زندگی زمینی‌اش در سرزمین موعود بیمارانی را که نزدش می‌آمدند شفا می‌بخشــید، امروز هم می‌تواند ما را بیامرزد و شفا دهد. عیسی مانند نور خورشــید هم در زمین با ما است و هم در آســمان با پدر سماوی خود می‌باشــد. او همیشــه در حضور پدر اســت و در آنجا برای آنانی که به او ایمان دارند پیوســته دعا می‌کند. کتاب‌مقدس می‌گوید: «پس او قادر اســت آنان را که از طریق وی نزد خدا می‌آیند، جاودانه نجات بخشــد، زیرا همیشه زنده اســت تا برایشان شفاعت کند» (عبرانیان ۲۵:۷). مرگ او بــر صلیب برای ما گناهکاران، و دعای دائمی او برای ما، نه فقط برای نجات‌مان مؤثر اســت بلکه می‌تواند ما را در دوران زندگی در این جهان شریر پاک و مقدس نگه دارد.

دوســتان گرامی، من صمیمانه دعا می‌کنم که شما و همهٔ خداجویان،

ایـن هدیهٔ نجات الهی را که در مسـیح عطا شـده، بپذیـرد. هیچکس نمیتوانـد نجات را بخرد ولی خـدا آن را بهعنوان هدیهای رایگان به ما عطا میفرماید، بهشـرطی که ما دستهای ایمان را به سویش دراز کرده و آن را بپذیریم.

فصل دهم

روح‌القدس کیست؟

همان‌طوری که به‌خاطر دارید قبلاً بیان شد که وقتی عیسی توسط یحیای تعمیددهنده تعمید گرفت، روح‌القدس بر او نازل شد. همچنین قبل از مرگ عیسی وعده داد که روح‌القدس را که تسلی‌دهنده خوانده می‌شود خواهد فرستاد تا پس از صعود خودش به آسمان رسولانش را در خدماتی که باید انجام دهند هدایت و تقویت فرماید. طبق همین وعده پس از صعود عیسی روح‌القدس از آسمان بر جمیع ایمانداران فرو ریخت و آنها پیام مسیح را با قدرت به مردم رسانیدند و در نتیجه چند هزار نفر به عیسای مسیح ایمان آوردند. این روح‌القدس کیست؟ برخی تصور کرده‌اند که روح‌القدس جبرائیل فرشته یا پیغمبری بوده است. عده‌ای دیگر نیز خیال کرده‌اند که روح‌القدس چیزی جز نیرویی مقدس نیست. با وجود این از کتاب‌مقدس این‌طور می‌فهمیم که روح‌القدس از مخلوقات خدا نبوده بلکه روح خداست و با خدا یکی می‌باشد. هنگامی که به اعمال روح‌القدس توجه می‌کنیم این موضوع به‌خوبی روشن است. عیسی به مرد دانشمندی به نام نیقودیموس فرمود که او می‌بایست از نو متولد شود تا بتواند به ملکوت/ پادشاهی داخل خدا گردد. وقتی نیقودیموس با تعجب پرسید که چگونه پیرمردی مثل او می‌تواند دوباره تولد یابد، عیسی به او پاسخ داد که تولد تازه عمل روح‌القدس است. بدیهی است همان‌طوری که تنها خدا می‌تواند حیات جسمانی را بیافریند، همچنین تنها خدا قادر است به انسان حیات روحانی ببخشد و او را به موجود جدیدی تبدیل کند.

هنگامی که بشر در گناه زندگی می‌کند فرزند شیطان است، ولی خدا قادر است به‌وسیلهٔ روح‌القدس انسان گناهکار را عوض کند، و هنگامی که انسان از نو متولد می‌شود، فرزند خدا می‌گردد. به‌علاوه، روح‌القدس

مؤلف کتب مقدس خدا است، زیرا او انبیـای عهدعتیق نظیر داوود و
اشــعیا را تعلیم داد و هدایت نمود. همچنیـن روح‌القدس بود که متی و
لوقا و پولس و دیگر نویسندگان کتب عهدجدید را هدایت فرمود زیرا به
قول کتاب‌مقدس: «وحی هیچگاه به ارادهٔ انسان آورده نشد، بلکه آدمیان
تحت نفوذ روح‌القدس از جانب خدا سخن گفتند» (دوم پطرس ۲۱:۱).
همان‌طور که روح خدا نویسـندگان کتب مقدس را هدایت فرمود، برای
خوانندگان این کتب نیز تنها راهنمای درسـت و واقعی اسـت. عیسای
مسـیح فرمود: «اما آن مدافع، یعنی روح‌القـدس، که پدر او را به نام من
می‌فرسـتد، او همه چیز را به شما خواهد آموخت و هر آنچه من به شما
گفتم، به‌یادتان خواهد آورد» (یوحنا ۲۶:۱۴).

البته پیروان عیسی مضطرب شدند از این که عیسی به آنان گفت باید
مصلـوب گردد و بعداً از این زمین خاکی به عالم بالا صعود نماید. لیکن
عیسی با وعدهٔ فرسـتادنِ روح خود جهت هدایت و قدرت بخشیدن به
آنها، آنان را تسلی بخشـید و فرمود که خود همیشه روحاً با آنها خواهد
بود. ده روز پس از صعود عیسی روح‌القدس از آسمان بر پیروانش نازل
شد و آنان را دگرگون سـاخت. از آن زمان تاکنون همان روح‌القدس در
پیروان عیسی سـاکن بوده است و طبق وعدهٔ عیسی در آنها خواهد ماند
(یوحنا ۲۵:۱۴-۲۷). باید به این نکتهٔ مهم توجه داشته باشیم که تنها روح
خدا می‌تواند چشـمان نابینای گناهکاران را بگشاید و آنان را قادر سازد
عیسای مسیح را بشناسـند، زیرا کتاب‌مقدس می‌فرماید: «احدی جز به
روح‌القدس عیسـی را خداوند نمی‌تواند گفت» (اول قرنتیان ۳:۱۲). از
این رو تعجب‌آور نیسـت که آنانی کـه روح‌القدس را ندارند غیرممکن
می‌دانند که عیسـی را «خداوند» و «پسر خدا» بخوانند. پس روح‌القدس
به ایمانداران تولد تازه می‌بخشد و معرفت واقعی عطا می‌فرماید تا بدانند
عیسـی کیست. او همچنین چشمان ما را می‌گشـاید تا گناهان درونی
خویش را بدانیم و ما را قادر می‌سازد تا توبه کنیم و گناهان خود را ترک
گوییم.

به محض این که شخصی به عیسای مسیح ایمان می‌آورد خدا او را می‌بخشد و به فرزندی خود می‌پذیرد و به او قلبی جدید عطا می‌فرماید. ولی ذات گناه‌آلود قدیمی او باقی می‌ماند و او را پیوسته به طرف شرارت می‌کشاند و شیطان همیشه آماده است تا او را وسوسه نماید که نسبت به خدا نافرمانی کند. با وجود این، روح‌القدسی که در اوست یارش می‌نماید که با شیطان مقاومت کند و در او صفاتی بوجود می‌آورد که مقبول خداست؛ مانند محبت، پاکی، راستی، شادی، آرامش و صلح‌جویی (غلاطیان ۵:۲۲-۲۴). این عمل روح‌القدس در ایمانداران تا زمانی که در این جهان زندگی می‌کنند ادامه دارد و تدریجاً آنها را عوض می‌کند تا به استادشان عیسای مسیح شبیه‌تر شوند. زیرا منظور خدا این است که همهٔ ما مانند پسر یگانه او کامل شویم. ولی فقط وقتی مانند مسیح کامل خواهیم شد که به بهشت برویم (اول یوحنا ۲:۳). روح‌القدس از راه‌های بسیار دیگری هم به ما کمک می‌کند و به ما می‌آموزد که چگونه دعا کنیم، و همچنین ما را در راه خدمت به مسیح رهبری و تقویت می‌فرماید (رومیان ۸:۲۶ و ۲۷؛ اعمال ۲:۱۳-۴ و ۶:۱۶ و ۷).

آنچه از این حقایق می‌فهمیم این است که روح‌القدس در ایمانداران در واقع خود خداست که در ایشان ساکن می‌باشد. چه امتیاز گرانبها و بی‌نظیری است که خدای بزرگ و مقدس با روح مقدس خود در انسان ساکن می‌شود! در واقع این بزرگترین هدیه‌ای است که خدا می‌توانست به بشر عطا نماید، یعنی بخشیدن خودش به انسان. این هدیه به چه کسانی بخشیده شده است؟ به‌طوری که می‌دانیم در زمان‌های گذشته خدا روح مقدس خود را به انبیا و مقدسین عطا می‌فرمود. لیکن هنگامی که خدا پسر خود را فرستاد تا نجات‌دهندهٔ جهان باشد روح خود را هم به همه کسانی که به عیسای مسیح ایمان بیاورند عطا می‌فرماید. عیسی فرمود: «حال اگر شما با همهٔ بدسیرتی‌تان می‌دانید که باید به فرزندان خود هدایای نیکو بدهید، چقدر بیشتر پدر آسمانی شما روح‌القدس را به هر که از او بخواهد، عطا خواهد فرمود» (لوقا ۱۱:۱۳). خدای ما امین است و هر کس در هر زمان به مسیح ایمان آوَرَد و او را به‌عنوان خداوند

خود بپذیرد و خود را به او تسلیم نماید و از خدا بخواهد که روح‌القدس را بـــه او عطا نماید، خدا حتماً این کار را خواهد کرد. همان‌طوری که هر روز جهـــت نان روزانه خود از او درخواســـت می‌نماییم همچنین برای ادامه حیات معنوی خود می‌باید بدون وقفه از او بخواهیم تا ما را با روح خود مملو سازد. عیســـای مسیح فرمود: «بطلبید که خواهید یافت» (لوقا ۹:۱۱).

فصل یازدهم

معنی تثلیث چیست؟

دوســـتان گرامی، اکنون به موضوعی می‌رســیم که شاید مایل بودید وقتی که گفتم مســیحیان به خدای واحد ایمان دارند، ســؤال بفرمایید. می‌دانم که شما شنیده‌اید که مسیحیان سه خدا را عبادت می‌کنند: خدا و عیســی و مادرش مریم، و این سه «تثلیث» خوانده می‌شوند. چنانکه قبلاً توضیح دادم اگر انســان‌ها مخلوق خدا را در عوض خدا و یا به اندازهٔ او عبادت نموده‌اند، بزرگترین گناه را مرتکب شــده‌اند. مریم باکره شخص بسیار مقدسی بود ولی او هرگز نباید مورد پرستش قرار گیرد. البته صحیح است که ما مسیحیان عیسای مسیح را ستایش می‌کنیم ولی نه به‌خاطر آن که پیامبر مقدسی بوده اســت بلکه بدین خاطر که او از ازل کلمهٔ/ کلام خدا، پسر خدا، و با خدا کاملاً یکی است. او شخصی نبود که ما انسان‌ها او را به مرتبه خدایی رســانیده و با خدای حقیقی یکسان خوانده باشیم، بلکه در واقع او از ازل با خدا یکی است و به این دلیل انسان شد که انسان گناهکار را نجات بخشــد و به‌سوی خدا بازگرداند. از این رو او شایستهٔ ستایش است زیرا او حقیقتاً خداست.

به‌عــلاوه قبلاً توضیح دادیم که روح‌القدس یکی از مخلوقات خدا نیست بلکه با خدا یکی اســت و خودِ خداست. روح‌القدس در زندگی انســان همان عملی را انجام می‌دهد که فقط خدا قادر اســت انجام دهد و به همین دلیل شایســته ستایش می‌باشد چنانکه پسر شایستهٔ ستایش و نیایش اســت. پس چه نتیجه‌ای حاصل می‌شود؟ آیا مقصود این است که سه خدا یعنی پدر، پسر و روح‌القدس وجود دارد؟ البته خیر، مقصود این نیســت. مجدداً تکرار می‌کنیم خدا واحد حقیقی اســت و همیشه واحد خواهد بود. ولی از ازل خدای واحد شــامل سه شخص یعنی پدر و پسر و روح‌القدس بوده اســت. پدر که با چشمان بشری هرگز دیده نمی‌شود

سرچشـــمه و منبع الهی است؛ پســـر، یک بار در تاریخ بشر، پدر نادیده را به‌طور کامل مکشوف ســـاخت. روح‌القدس به‌وسیلهٔ پدر و پسر عطا گردید تا ارادهٔ خدا را در میان مردم عملی ســـازد. پس ای دوستان عزیز، مطمئن باشـــید که مسیحیان خدای واحد را که پدر و پسر و روح‌القدس می‌باشـــد عبادت می‌نمایند. عیسی به این وحدانیت در تثلیث اشاره کرد و به رســـولان خود دســـتور داد که به همه جا بروند و مردم را شاگرد او سازند و ایمانداران را به اسم پدر و پسر و روح‌القدس تعمید دهند (متی ۱۹:۲۸).

فصل دوازدهم

کلیسا چیست؟

شاید شنیده باشید که مردم ساختمان‌هایی را که مسیحیان در آن عبادت می‌نمایند کلیسا می‌خوانند. هر چند مردم غالباً ساختمان را کلیسا می‌دانند لیکن معنی واقعی کلمهٔ «کلیسا» ساختمان نیست، بلکه اجتماع ایماندارانی است که در آن ساختمان عبادت می‌نمایند. «کلیسا» دلالت می‌کند به اجتماع ایمانداران مسیحی در محلی بخصوص. همچنین این کلمه برای اشاره به جمیع ایمانداران نیز به‌کار می‌رود، هم کسانی که هنوز در این جهان هستند و هم اشخاصی که با مسیح در آسمان می‌باشند. در زمان‌های گذشته خدا فرزندان اسرائیل را انتخاب نمود تا قوم برگزیده او باشند. او احکام خود را به‌وسیلهٔ موسی به آنان بخشید و سرزمین فلسطین را به آنان داد و برای ایشان انبیایی فرستاد تا تعلیم‌شان دهند و راجع به آمدن مسیح موعود با ایشان سخن گویند. هنگامی که عیسای مسیح در زمان معین در میان اسرائیل ظاهر شد برخی از مردم به او ایمان آوردند لیکن اغلب آنان از ایمان آوردن امتناع ورزیدند. سپس خدا از آنانی که به مسیح ایمان آوردند قوم جدیدی برای خود تشکیل داد که کلیسای مسیح خوانده می‌شود. در ابتدا فقط اسرائیلیان قوم برگزیدهٔ خدا محسوب می‌شدند، لیکن اکنون تمام مردان و زنانی که از نژادها و ملل مختلف روی زمین به مسیح ایمان می‌آورند قوم جدید خدا به‌شمار می‌روند.

راه دخول در اجتماع اسرائیل اجرای مراسم ختنه بود که خدا برای ابراهیم و تمام نسل ذکور او مقرر فرمود. لیکن راه دخول به کلیسای مسیح که قوم جدید خدا می‌باشد عبارت است از تعمید و به همین دلیل ختنه دیگر اهمیت مذهبی ندارد. تعمید طبق فرمایش مسیح در مورد کسانی اجرا می‌شود که توبه کرده و به مسیح ایمان آورده‌اند و نشانه

عضویت در خانوادهٔ روحانی خدا می‌باشد. تعمید به خودی خود کسی را نجات نمی‌دهد زیرا گناهکاران فقط به‌وسیلهٔ ایمان به مسیح نجات می‌یابند. تعمید علامت و سمبول پاکی از گناه و شروع زندگی جدیدی در مسیح می‌باشد. در بعضی از کلیساها مرسوم است که بر سر کسانی که تعمید می‌گیرند آب می‌پاشند و یا می‌ریزند و یا در کلیساهای دیگر اشخاص را کاملاً در آب فرو می‌برند. تعمید برای هر شخص فقط یک بار انجام می‌شود.

در عهدجدید کلیسا «بدن مسیح» نامیده می‌شود. مسیح سر کلیسا است و تمام اعضای بدن از هر نژاد و زبان و رنگ در او یک می‌باشند، از این‌رو کلیسا یکی است به‌طوری که مسیح یکی است. کلیسا همچنین مقدس است زیرا به خدای مقدس تعلق دارد. با وجود این هنگامی که امروز به وضع کلیسا در جهان نگاه می‌کنیم، می‌بینیم که غالباً دچار تفرقه می‌باشد و گاهی اوقات در آن شرارت وجود دارد. چرا چنین است؟ اولین نکته‌ای که باید به آن توجه کنیم این است که در کلیسا عدهٔ زیادی هستند که به‌وسیلهٔ روح‌القدس تولد تازه نیافته‌اند و به همین دلیل واقعاً مسیحی نیستند. کتاب‌مقدس می‌گوید که هر کس روح مسیح را ندارد از آن او نمی‌باشد (رومیان ۹:۸). به‌علاوه باید در نظر داشته باشیم که تمام اعضای کلیسا شبیه اشخاص بیماری می‌باشند که برای شفا یافتن به بیمارستان آمده‌اند. آنها خود را به دست‌های طبیب بزرگ یعنی عیسای مسیح سپرده‌اند و او آنها را تدریجاً بهبودی می‌بخشد و از مرض گناه شفا می‌دهد. همچنین تا موقعی که مسیحیان در این جهان به‌سر می‌برند از نتایج گناه کاملاً آزاد نیستند و به همین دلیل همه احتیاج داریم که گناه خود را اعتراف و از آنها توبه نماییم. تمامی بشر گناهکارند، ولی تفاوتی که بین مسیحیان و سایرین وجود دارد این است که مسیحیان واقعی خود را به پزشک الاهی تسلیم می‌نمایند و داروهای او را مورد استفاده قرار می‌دهند و دستورهای او را اطاعت می‌کنند.

در حالی که تمام ایمانداران حقیقی در مسیح یک هستند، شاید بدانید که در جهان فرقه‌های مختلف مسیحی وجود دارد. دو فرقه‌ای که از همه

بزرگتر هستند عبارتند از کاتولیک و پروتستان و این دو فرقۀ بزرگ دارای شـعبات متعددی می‌باشـند ولی کتاب‌مقدس همۀ این مسیحیان یکی است. همه آنان ایمان دارند که عیسای مسیح پسر خداست و معتقدند که او بـر صلیب جان داد و از مرگ قیام کرد و یگانه نجات‌دهنده و خداوند است. گرچه مسیحیان در مورد بعضی از مسائل و حتی موضوعات اساسـی اختلاف عقیده دارند، ولـی اکثراً به اتحـاد و اتفاق علاقه‌مند می‌باشند و مایلند طبق آرزوی مسیح در ایمان و محبت یک باشند. هدف کلیسـا چیست؟ یکی از هدف‌های کلیسا این است که ایمانداران را قادر سـازد در معرفت خدا و در ایمان و محبت رشـد نمایند و همچنین با سـایر ایمانداران دارای دوستی و معاشرت باشند. ضروری است که هر ایمانداری دستور مسـیح را در مورد تعمید و عضویت در کلیسای وی اطاعت نماید. هر مسـیحی به سایر مسیحیان نیازمند است همان‌طور که هر عضو بدن انسـان به سـایر اعضا احتیاج دارد. هیچ ایمانداری هرگز نباید خود را از رفاقت و هم‌بستگی سایر ایمانداران در کلیسا مجزا سازد. به‌علاوه، مسـیح، کلیسا را موظف ساخته است که کار او را در این جهان به انجام رسـاند. هنگامی که عیسای مسـیح چون انسانی در این جهان به‌سـر می‌بُرد کلام خدا را برای مردم بیان می‌کرد، بیماران را شفا می‌داد، غم‌زدگان را تسلی می‌بخشید و گناهکاران را رستگار می‌نمود.

مسـیح قبل از صعود به آسمان به پیروان خود دستور فرمود که مژده نجات را به تمام مردم جهان برسانند. مهم‌ترین کار و وظیفه تمام مسیحیان در تمام کشورهای جهان این است که پیغام مسیح را به همه مردم برسانند و آنان را دعوت نمایند که به وی ایمان آورند. مسـیحیان همچنین باید با دعا کردن برای شـفای بیماران، تعلیم، و خوراک دادن به گرسـنگان و موعظۀ نجات به اسـیران گناه، محبت مسیح را به همۀ نژادها و مذاهب نشان دهند. عیسای مسیح زندگی خود را در خدمت مردم صرف کرد و اعضای کلیسای او نیز می‌باید از او سرمشق گیرند. همان‌طوری که گله به شبانی نیاز دارد، گروه ایمانداران نیز احتیاج به رهبرانی دارد تا آن را تعلیم داده و راهنمایی کنند و تشـویق و ترغیب نمایند، و در وقت ضرورت

آنانی را که منحرف شــده‌اند توبیخ و ارشاد کنند. از بدو تأسیس کلیسا، خدا این‌گونه رهبران را برای حفاظت فرزندان خود در کلیسا مهیا فرمود. عیسای مسیح دوازده نفر را انتخاب نمود که رسولان او باشند و پیغام او را به مردم جهان برسانند و کلیسای او را بنا نمایند. سپس به‌طوری که در عهدجدید ملاحظــه می‌کنیم خدا عدهٔ دیگری را نیز انتخاب نمود که در کلیســا شبان و معلم و مبشر و خادم و رهبر و سرپرست باشند. تمام این خادمین روحانی مسیح در کلیسای امروز انجام وظیفه می‌نمایند.

فصل سیزدهم

تکالیف و مراسم مذهبیِ مسیحیان چیست؟

چون عبادت مسیحیان از چند نظر با عبادت پیروان سایر مذاهب تفاوت دارد گاهی اوقات اشتباهاً تصور شده است که مسیحیان تکالیف مذهبی ندارند. در عین حال مایلم این موضوع را کاملاً روشن نمایم که منظور عبادت مسیحیان تحصیل نجات و بخشش گناهان نیست، چنانکه قبلاً توضیح دادم نجات را نمی‌توانیم به‌وسیلهٔ اعمال مذهبی به‌دست آوریم بلکه این بخشش از طرف خدا به‌طور رایگان به ما عطا می‌شود به‌شرطی که به مسیح ایمان آوریم. از این رو ما خدا را عبادت می‌نمایم نه به جهت تحصیل نجات بلکه به منظور ابراز محبت و قدردانی نسبت به خدا برای نجات رایگانی که به ما بخشیده است. اجازه بفرمایید عبادت مسیحی را به‌طور مختصر شرح دهم:

۱ – دعا

عیسی به پیروان خود تعلیم نداده است که هر روز در ساعات مخصوص و در وقت معینی در حالی که روی خود را به‌طرف خاصی برگردانده‌اند دعاهایی به زبان عبری یا یونانی تکرار کنند. برعکس به ایشان فرمود همان‌طوری که فرزندان در هر زمان و مکانی که مایل باشند نزد پدر خود می‌روند و با او سخن می‌گویند آنها نیز مانند فرزند به حضور خدا بروند و به زبان مادری خودشان با او سخن گویند. طرز دعا کردن اهمیت زیادی ندارد ولی مهم این است که خدا را با صمیمیت و با تمامی فکر و قلب خود عبادت کنیم (متی ۵:۵–۱۵ و یوحنا ۴:۲۳ و ۲۴). مسیحیان به هنگام گردهمایی با سایر ایمانداران در کلیسا، دعا می‌کنند.

همچنین با خانوادهٔ خود در منزل و یا وقتی مشغول کار روزانه هستند در سکوت دعا می‌نمایند. بسیاری از مسیحیان عادت دارند هر روز به‌طور انفرادی قسمتی از کتاب‌مقدس را بخوانند و دعا کنند. آنها در دعاهای خود خدا را برای نعمت‌های فراوانش سپاس می‌گویند، به گناهان خود اعتراف نموده بخشش می‌طلبند، برای شفای بیماران و نجات بی‌ایمانان دعا می‌کنند، همچنین برای حکام و فرمانروایان خود و برای صلح جهان دعا می‌کنند. عیسی فرمود که می‌باید همیشه دعا کنیم (لوقا ۱:۱۸). چون عیسای مسیح در روز یکشنبه از مرگ قیام کرد، روز یکشنبه برای مسیحیان روز مقدسی است. عبادت در کلیساها معمولاً در روز یکشنبه انجام می‌شود، ولی در روزهای دیگر نیز جلسات عبادتی وجود دارد. در جلسات عبادتی کلیسا، کتاب‌مقدس خوانده می‌شود و سرودهای روحانی سراییده می‌شود و شبان یا کشیش کلیسا موعظه می‌کند. اگر شما مایل باشید در جلسه عبادتی مسیحیان شرکت نمایید مطمئناً یکی از دوستان مسیحی شما می‌تواند شما را به کلیسای خود ببرد.

۲- روزه

عیسای مسیح برای پیروان خود روز یا وقت بخصوصی را جهت روزه تعیین ننموده است و به همین دلیل روزه برای پیروان او اختیاری می‌باشد. با وجود این، به پیروان خود فرمود که هر وقت روزه می‌گیرند باید فقط جهت خشنودی خدا روزه بگیرند نه این که مانند ریاکاران روزه بگیرند تا مردم از آنها تعریف و تمجید کنند (متی ۶:۱۶-۱۸). برخی از مسیحیان در روز جمعه به مناسبت روزی که عیسی مصلوب شد از خوردن گوشت خودداری می‌نمایند، برخی نیز در مدت چهل روز قبل از قیام مسیح از خوردن بعضی از غذاها پرهیز می‌کنند. در مورد این عادت و رسوم در کتاب‌مقدس دستوری یافت نمی‌شود، بلکه فقط دستور داده شد که از اعمال و گفتار شرارت‌آمیز خودداری نماییم. بسیار مناسب است که در این مورد گفتار مسیح را ذکر نماییم که فرمود تمام غذاها پاک و حلال است و چیزی که انسان را ناپاک می‌سازد غذایی نیست که به دهان

می‌برد بلکه ناپاکی و شرارتی است که از قلب او صادر می‌شود و باعث زنا، دزدی، قتل، حسادت و غرور و نظایر آن می‌گردد. (مرقس ۱۸:۷-۲۳)

۳- هدایا و خیرات

عیسی تعیین نفرمود که چه مقدار و چه نسبت از درآمد و دارایی مسیحیان باید برای کار خدا و کمک به فقرا بخشیده شود. با وجود این تعلیم فرمود که تمام دارایی ما به خدا تعلق دارد و ما باید دارایی خود را خواه کم یا زیاد طبق راهنمایی خدا مورد استفاده قرار بدهیم. بنابراین مسیحیان به منظور حق‌شناسی نسبت به خدا از آنچه خدا به‌طور امانت به آنان سپرده است از روی میل و رضا هدایایی تقدیم می‌کنند تا برای پشتیبانی شبانان و انجام امور کلیسایی و کمک به فقرا و بیماران و رسانیدن مژده نجات مسیح به کسانی که آن را نشنیده‌اند مورد استفاده قرار گیرد. مسیح فرمود که پیروانش می‌باید با سخاوت هدیه بدهند تا خداوند خشنود شود و به همین دلیل بسیاری از مسیحیان یک‌دهم از درآمد خود را به خدا تقدیم می‌کنند ولی نه با این منظور که مورد احترام و تمجید مردم قرار گیرند (متی ۱:۶-۴).

۴- زیارت

عیسی به پیروان خود دستور نفرمود که به مکان مقدسی به زیارت بروند، زیرا خدا در همه جا حضور دارد و هر کس می‌تواند او را در هر مکان پرستش نماید. برخی از مسیحیان علاقه دارند به فلسطین بروند و سرزمینی را که عیسی در آن زندگی می‌کرد ببینند ولی رفتن به آنجا دارای ثواب مذهبی نیست. غیرممکن است بتوانیم با رفتن بر سر قبر مسیح به بدن او احترام بگذاریم، زیرا قبر او خالی است و او زنده می‌باشد.

۵- عیدها

عیسی به پیروان خود دستور نفرمود که روزهای بخصوصی را عید بگیرند. با این وجود، مسیحیان معمولاً سه عید مهم را نگه می‌دارند: اولی

عبارت است از عید تولد مسیح. اکثر مسیحیان میلاد مسیح را در روز ۲۵ دسامبر هر سال جشن می‌گیرند اما عده‌ای این عید را در ۶ ژانویه جشن می‌گیرند، ولی تاریخ دقیق تولد مسـیح معلوم نیست. دومین عید عبارت اسـت از عید قیام یعنی روزی که مسـیحیان به مناسبت پیروزی مسیح بر مرگ، و رسـتاخیز او جشن و سرور و شادی برپا می‌کنند. تاریخ قیام مسـیح، چون از روی تقویم قمری تعیین می‌شود هر سال تغییر می‌کند ولی همیشه در ماه‌های مارس و آوریل است. سومین عید عبارت است از عید پنطیکاست که مصادف است با هفت هفته بعد از عید قیام، و یادگار روزی است که روح‌القدس بر شاگردان مسیح نزول کرد. این سه عید از اعیاد مذهبی مسـیحیان می‌باشند. سال نو یا اول ژانویه عید ملی است نه مسیحی.

۶- آیین‌های مقدس

عیسـی دو آیین مقدس مقرر فرمود که باید در کلیسـای او رعایت شود، اولی تعمید است که قبلاً دربارهٔ آن توضیح دادم. این آیین به هنگام پذیرفتن افراد به عضویت کلیسـا انجام می‌شـود (بـه فصل ۱۲ رجوع فرمایید). دومی عبارت اسـت از عشای مقدس یا شام خداوند. عیسای مسـیح در شب قبل از مصلوب شدن به شـاگردان خود نان داد و به آنها فرمود «این اسـت بدن من». عیسـی نان و شـراب را نشانه‌ای از بدن و خون خود قرار داد و به پیروانش دسـتور داد این آیین مقدس را به یاد او اجرا کنند. اکنون در تمام کلیساهای سراسر جهان این دستور مسیح اجرا می‌شود. مسیحیان هر چند وقت یک بار در مکان‌های عبادتی خود جمع شده، تکه‌ای از نان می‌خورند و اندکی از عصارهٔ انگور می‌نوشند و به یاد می‌آورند که مسـیح به‌خاطر آنها جان داد و قدرت او را، به‌وسیلهٔ ایمان در قلـوب خویش تجربه می‌کنند. مسـیحیان از این آیین مقدس برکات روحانی فراوانی کسب می‌کنند (اول قرنتیان ۱۱:۲۳-۳۰).

۷- ازدواج

تعلیم عیســای مســیح در مورد ازدواج این است که فقط یک مرد و یک زن باید به‌وســیلهٔ ازدواج متحد شوند و باید تا پایان عمر همدیگر را محبت نمایند و نسبت به یکدیگر وفادار باشند. عیسی فرمود: «آنچه خدا پیوست انسان جدا نســازد» بنابراین طلاق به هر علتی غیر از زنا ممنوع می‌باشــد (متی ۱۹:۱-۱۲ و مرقس ۱۰:۲-۱۲). پولس رسول می‌فرماید که محبت بین زن و شــوهر باید شبیه محبتی باشد که بین مسیح و قوم او وجود دارد (افسسیان ۵:۲۱-۳۳).

فصل چهاردهم

تعالیم اخلاقی مسیحیت چیست؟

در عهدعتیق قوانین فراوانی یافت می‌شود که خدا به قوم خود اسرائیل عطا فرمــود. در «ده حکم» که در کتاب خروج باب ۲۰ آمده، خداوند به قوم خود دســتور فرمود که والدین خود را محتــرم بدارند، و قتل و زنا و دزدی و دروغ و طمع نسـبت به مال دیگـران را منع نمود. به‌علاوه، دســتورات و قوانین اخلاقی فراوان دیگری نیز عطــا فرمود که یکی از آنها این بود «همسایه خود را مثل خویشتن محبت نما» (لاویان ۱۸:۱۹). عیسی هیچ‌یک از قوانین الهی را تغییر نداد بلکه به‌وسیلهٔ تشریح مقصود اصلی این قوانین، آنها را تکمیل نمود. مثلاً عیســی فرمود که اگر کســی به زنی غیر از زن خود به نظر شــهوت بنگرد مرتکب گناه زنا شده است. قوانین عهدعتیق شــخص را جهت عمل زنا محکوم می‌کرد ولی عیسی افکار شهوانی را که از قلب سرچشمه می‌گیرد و پایهٔ اعمال شرارت‌آمیز می‌شــود، محکوم می‌نماید. او دســتور فرمود تا در گفتار راستگو باشیم و هر نوع قســم خوردن را منع فرمود زیرا معتقد بود که باید هر کلمه از گفتار انسان حقیقت محض باشــد، که در این صورت احتیاجی به قسم نیســت. او به پیروان خود فرمود که نــه تنها باید یکدیگر را محبت کنند بلکه دشــمنان خود را هم محبت نمایند و برای جفاکنندگان خود دعای خیر کنند. او مســتی و هرگونه عمل غیراخلاقی را منع فرمود. او فرمود که فرزندان خدا باید کامل باشــند به همان طریقی که پدر آسمانی ایشان کامل است. هیچ هدفی عالی‌تر از این نمی‌توان یافت. (متی ۵:۱۷-۴۷)

عیسی همچنین برای زندگی دســتوری فرمود که در همه جا و همه وقت قابل اجرا اســت، و آن اینکه: «پس با مردم همان‌گونه رفتار کنید که می‌خواهید با شما رفتار کنند. این است خلاصهٔ تورات و نوشته‌های انبیا» (متی ۷:۱۲). این تعلیم گرانبها «قانون طلایی» نامیده شده است. این تعلیم

کامل و اصولی نه فقط اعمال خلاف نسبت به دیگران را منع می‌نماید بلکه ما را تشویق می‌کند تا تمام خوبی‌هایی را که مایلیم دیگران نسبت به ما انجام دهند برای آنها انجام دهیم. بسیار قابل توجه است که انجیل دستورات مفصلی در مورد غذا و لباس و مسائلی که طی زمان قابل تغییر و تحول است ندارد بلکه شامل اصولی است که در هر وضعی قابل اجرا است و به همین دلیل دائمی می‌باشد. تمام تعالیم مسیح را می‌توان در کلمه «محبت» خلاصه کرد. محبت عیسای مسیح محبت کاملی بود و او به شاگردان خود دستور داد که یکدیگر را محبت نمایند به همان طریقی که او آنها را محبت نمود (یوحنا ۱۲:۱۵). ما مسیحیان به‌خوبی می‌دانیم که این محبت مسیحایی را در خود نداریم ولی هنگامی که به یاد می‌آوریم که چگونه مسیح به ما محبت نمود و برای ما جان داد از او سرمشق می‌گیریم که دیگران را محبت نماییم (اول یوحنا ۱۹:۴). روح مسیح، روح محبت است و هنگامی که مسیح روح خود را در ما قرار می‌دهد می‌توانیم مردم، و حتی دشمنان خود را، مانند مسیح محبت کنیم (رومیان ۵:۵ و ۱۲:۱۷-۲۱). این محبت نباید فقط در قلوب ما بماند بلکه باید آن را عملاً نشان دهیم. یوحنای رسول می‌گوید که اگر کسی قادر باشد برادر فقیر خود را کمک کند ولی از انجام این کار غفلت ورزد محبت خدا در وی نیست. ذیلاً قسمتی از عالی‌ترین تعریفی که در مورد محبت نوشته شده و به قلم پولس رسول می‌باشد نقل می‌گردد:

> «اگر قدرت نبوّت داشته باشم و بتوانم جملهٔ اسرار و معارف را درک کنم، و اگر چنان ایمانی داشته باشم که بتوانم کوهها را جابه‌جا کنم، امّا محبت نداشته باشم، هیچم. محبت بردبار و مهربان است؛ محبت حسد نمی‌برد؛ محبت فخر نمی‌فروشد و کبر و غرور ندارد. رفتار ناشایسته ندارد و نفع خود را نمی‌جوید؛ به آسانی خشمگین نمی‌شود و کینه به دل نمی‌گیرد؛ محبت از بدی مسرور نمی‌شود، امّا با حقیقت شادی می‌کند. محبت با همه چیز مدارا می‌کند، همواره ایمان دارد، همیشه امیدوار است و در

همه‌حال پایداری می‌کند.... و حال، این سه چیز باقی می‌ماند: ایمان، امید و محبت. امّا بزرگترینشان محبت است» (اول قرنتیان باب ۱۳).

محبت مسیح نسبت به مردم نه فقط به‌وسیلهٔ گفتار بلکه به‌وسیلهٔ شفای بیماران و خوراک دادن گرسنگان و بخشیدن جان بر صلیب برای نجات گناهکاران ابراز شد. همین محبت مسیح است که پیروان او را علاقه‌مند می‌سازد بیمارستان‌ها و یتیم‌خانه‌ها، و مدارسی برای کودکان و مؤسسات دیگری برای خدمت به مردم تمام نژادها و مذاهب جهان تأسیس نمایند. خواست عیسی آن است که محبت نشانهٔ شاگردانش باشد (یوحنا ۳۵:۱۳). ما مسیحیان باید با کمال شرمساری اعتراف نماییم که محبت ما در اکثر مواقع ناقص بوده است، لیکن جمیع مسیحیان واقعی مایلند مانند استادشان به دیگران محبت نمایند.

فصل پانزدهم

عقیدۀ مسیحیان در مورد امور آینده چیست؟

به‌طوری که در ابتدای این نامه بیان نمودم مسیحیان به خدای قادر مطلق ایمان دارند که برای این جهان نقشه‌ای دارد و این نقشه یقیناً عملی خواهد شد. هنگامی که بشر علیه خدا طغیان نمود و گناهکار شد خدا پسر خود را جهت نجات جهان فرستاد (یوحنا ۳:۱۶-۱۹). کسانی که به او ایمان می‌آورند نجات می‌یابند و کسانی که او را رد می‌کنند محکوم می‌شوند. در پایان، خدا تمام دشمنان خود را مغلوب خواهد ساخت و ملکوت جاودانی خویش را که در آن هیچ‌گونه شرارتی وجود نخواهد داشت برقرار خواهد نمود. در کتاب‌مقدس پیش‌گویی‌های فراوانی در مورد امور آینده یافت می‌شود، لیکن خدا صلاح ندیده است همه چیز را برای ما روشن و واضح سازد. بنابراین، مسیحیان اغلب این نبوت‌ها را به طرق مختلف تعبیر و تفسیر می‌نمایند. اکنون آن وقایع آینده را که مورد قبول اکثر مسیحیان می‌باشد توضیح خواهم داد:

۱ - بازگشت عیسای مسیح

مسیح، قبل از صعود به آسمان پی در پی به شاگردان خویش اطمینان می‌بخشید که نزد ایشان بازمی‌گردد و مسیحیان تاکنون منتظر بازگشت او می‌باشند. آمدن مسیح بر زمین برای نجات انسان‌ها بوده است، لیکن بازگشت او برای داوری و برقراری کامل ملکوت/ پادشاهی خدا خواهد بود. هنگامی که شاگردان از عیسی پرسیدند او چه وقت باز خواهد گشت، او پاسخ داد که زمان بازگشت او را فقط خدا می‌داند. ضمناً به ایشان اصرار نمود تا همیشه آماده باشند، زیرا هنگامی که مردم

منتظر او نیستند او خواهد آمد. او به ایشان فرمود که در جلال با فرشتگان خواهد آمد و ظهورش مانند رعد و برق آسمان توسط همه دیده خواهد شد. او شاگردان خود را از مسیحان و پیامبران دروغین که برای گمراهی مردم خواهند آمد برحذر داشت. به‌خوبی می‌دانیم که در مدت ۲۰۰۰ سال گذشته دروغگویان زیادی آمده‌اند، لیکن مسیحیان هوشمند و دانا هرگز فریب آنان را نخورده‌اند زیرا مسیح بر ایشان روشن ساخت که هر که بگوید «مسیح آمده و در فلان مکان است» آن شخص مسیح دروغین می‌باشد. هنگامی که مسیح واقعی از آسمان می‌آید تمام مردم جهان او را فوراً خواهند شناخت و احتیاجی نخواهد بود که این خبر را از دیگران بشنوند. هنگامی که مسیح به آسمان صعود می‌نمود فرشتگان به شاگردانش که او را نگاه می‌کردند گفتند: «همین عیسی که از میان شما به آسمان برده شد، بازخواهد آمد، به همین‌گونه که دیدید به آسمان رفت» (اعمال ۱۱:۱). بنابراین عیسی در بازگشت ثانوی خود به‌شکل طفلی که از مادر بشری متولد می‌شود به جهان نخواهد آمد تا مجدداً مانند بار اول بر زمین زندگی کند و بمیرد. زیرا کتاب‌مقدس می‌گوید که عیسی فقط یک مرتبه برای گناهان ما مرد و دیگر مجدداً نخواهد مرد زیرا مرگ دیگر بر او تسلط ندارد (رومیان ۹:۶). پس بدیهی است که از زمان صعودش به آسمان تاکنون باز نگشته است.

وقتی عیسای مسیح از مرگ قیام کرد بدن جسمانی او به بدن جلال‌یافته که مرگ در آن راهی نداشت تبدیل شد، از این رو قادر بود مانند فرشتگان آسمان پدیدار و ناپدید گردد. او با داشتن بدن جلال‌یافته اکنون در آسمان است و ما معتقدیم که با همین بدن خواهد برگشت و مجدداً بر مردم ظاهر خواهد شد. چون مسیحیان همیشه در پیش‌گویی زمان و محل برگشت مسیح مرتکب اشتباه شده‌اند، خوب است که ما از تکرار این اشتباه اجتناب ورزیم. همه باید به طریقی زندگی کنیم و باید خداوند خود را طوری خدمت نماییم که هر وقت او بازگردد برای استقبالش حاضر باشیم (متی باب‌های ۲۴ و ۲۵). هنگامی که مسیح

بازگردد چه خواهد کرد؟ جواب این سؤال در کتاب‌مقدس کاملاً واضح نیست. برخی از مسیحیان عقیده دارند که مسیح تمام شرارت جهان را نابود می‌نماید و سلطنت خدا را بر زمین مستقر خواهد فرمود و مشغول سلطنت خواهد شد. جمیع مردم مطیع او خواهند شد و زمان صلح و عدالت واقعی فرا خواهد رسید. آنگاه زندگی روی زمین طوری خواهد شد که نقشهٔ خدا بود و قرار بود قبل از طغیان بشر علیه خدا عملی گردد. بعضی از مسیحیان تصور می‌کنند که حکمرانی مسیح مثل سلطنت پادشاهان دنیوی در این جهان نخواهد بود بلکه به‌عنوان پادشاه روحانی در ملکوت جاودانی خدا سلطنت خواهد کرد. هنگامی که او بیاید کارهایش بدون شک مافوق تصورات ما خواهد بود. مسلماً ضرورت ندارد که جمیع این اسرار را بدانیم. لیکن لازم است که همه خود را برای برگشت وی آماده سازیم.

۲– رستاخیز عمومی

عیسی فرمود: «زیرا زمانی فرامی‌رسد که همهٔ آنان که در قبرند، صدای او (مسیح) را خواهند شنید و بیرون خواهند آمد، آنان که نیکی کرده باشند، برای قیامتی که به حیات می‌انجامد، و آنان که بدی کرده باشند، برای قیامتی که مکافات در پی دارد» (یوحنا ۲۷:۵ و ۲۸). با این فرمایشات عیسای مسیح ادعا می‌کند که او خود جمیع مردگان را برمی‌خیزاند به همان نحوی که وقتی بر روی زمین زندگی می‌کرد برخی از مردگان را زنده کرد. وقتی مردگان زنده شوند، چه نوع بدنی خواهند داشت؟ پولس رسول می‌فرماید که بدن‌های جسمانی ایمانداران در روز رستاخیز عوض خواهد شد درست مانند بذری که پس از کاشتن در زمین می‌میرد و به گیاه جدیدی تبدیل می‌شود (اول قرنتیان باب ۱۵). عیسی در جواب کسانی که از او دربارهٔ زندگی آینده سؤال کردند فرمود که در زندگی آینده هیچ‌گونه ازدواجی وجود نخواهد داشت بلکه ایمانداران شبیه فرشتگان خدا خواهند بود (متی ۳۰:۲۲).

۳- داوری آخر

مسیح نه فقط مردگان را زنده خواهد کرد بلکه جمیع مردم را داوری خواهد نمود. او فرمود که جمیع ملل در حضور او جمع خواهند شد و او آنان را از یکدیگر جدا خواهد نمود به همان طریقی که شبان گوسفندان خود را از بزها جدا می‌کند. به آنانی که به بیماران و نیازمندان محبت نموده‌اند خواهد فرمود «بیایید، ای برکت یافتگان از پدر من، و پادشاهی‌ای را به میراث یابید که از آغاز جهان برای شما آماده شده بود»، و به آنانی که از محبت به دیگران غفلت ورزیده‌اند خواهد فرمود «ای ملعونان، از من دور شوید و به آتش جاودانی روید که برای ابلیس و فرشتگان او آماده شده است.» اینان در تنبیه جاودانی داخل خواهند شد ولی صالحان به حیات جاودانی داخل می‌گردند (متی ۲۵:۳۱-۴۶). بله، خدا تمام بشر را توسط پسرش عیسای مسیح داوری خواهد نمود. جمیع ما از هر ملت و مذهبی که باشیم روزی در پیشگاه عادلانهٔ مسیح خواهیم ایستاد تا به‌خاطر کارهایی که در موقع زندگی خود در این جهان انجام داده‌ایم داوری شویم (یوحنا ۵:۲۲ و اعمال ۱۷:۳۱ و دوم قرنتیان ۵:۱۰). البته داور عادل است و از روی عدالت داوری خواهد نمود. آیا کسانی یافت می‌شوند که از این روز ترسناک داوری نهراسند؟ آری، آنانی که ایمان واقعی به مسیح نجات‌دهنده دارند از مسیح داور ترسی نخواهند داشت زیرا او فرمود: «آمین، آمین، به شما می‌گویم، هر که کلام مرا به گوش گیرد و به فرستندهٔ من ایمان آورد، حیات جاویدان دارد و به داوری نمی‌آید، بلکه از مرگ به حیات منتقل شده است» (یوحنا ۵:۲۴). آری گرچه ایمانداران مسیح بی‌گناه نیستند، لیکن به‌وسیلهٔ خدا پذیرفته خواهند شد زیرا ایمان دارند که مسیح به جای آنان جان داد.

در داوری عادلانه مسیح، ایمانداران مسیح به نسبت وفاداری خود پاداش خواهند یافت (متی ۲۵:۱۴-۳۰ و اول قرنتیان ۳:۱۲-۱۵). سرنوشت آنانی که از ایمان به مسیح امتناع ورزیدند چه خواهد بود؟

ایشـــان محکوم و مجازات خواهند شـــد زیرا عیسی فرمود «هر که به او ایمان دارد محکوم نمی‌شود، امّا هر که به او ایمان ندارد، هم‌اینک محکوم شـــده است، زیرا به نام پسر یگانهٔ خدا ایمان نیاورده است. و محکومیت در این اســـت که نور به جهـــان آمد، امّا مردمان تاریکـــی را بیش از نور دوست داشتند، چرا که اعمالشان بد اســـت» (یوحنا ۱۸:۳ و ۱۹)؛ آنانی که پســـر خدا را رد کرده‌اند و در واقع گناهی بزرگتر از آن وجود ندارد. دوستان عزیز اکنون به خوبی می‌توانید بفهمید که چرا ما مسیحیان بسیار مشتاقیم جمیع مردم مسیح را بشناسند و به او ایمان آورند، زیرا اگر او را رد کنند خدا نیز ایشان را رد خواهد نمود.

۴– بهشت و جهنم

از آنچـــه تاکنون گفته شـــد اصول عقاید مســـیحیان در مورد زندگی اینده روشن می‌شـــود. آنانی که به‌وسیلهٔ مســـیح پذیرفته شده‌اند به نزد خدا حضور می‌یابند و برای همیشـــه با وی در محبت و شـــادی زندگی می‌کنند. عیســـی فرمود: «در خانه پدر من منزل بسیار است... وقتی بروم و برای شـــما مکانی حاضر کنم بازمی‌آیم و شـــما را برداشـــته و با خود خواهم برد تا جایی که من می‌باشـــم شما نیز باشید» (یوحنا ۲:۱۴ و ۳). در قســـمت آخر کتاب‌مقدس یوحنای رســـول جلال زندگی در حضور خدا را چنین تشـــریح می‌نماید: «و دیدم آسمانی جدید و زمینی جدید... آوازی بلند از آســـمان شنیدم که می گفت اینک خیمه خدا با آدمیان است و با ایشان ســـاکن خواهد بود... خدا هر اشکی را از چشمان ایشان پاک خواهد نمود و بعد از این موت نخواهد بود و ماتم و ناله و درد دیگر رو نخواهـــد نمود... و هر که غالب آید وارث همه چیز خواهد شـــد و او را خدا خواهم بود و مرا پسر خواهد بود» (مکاشفه ۲۱:۱–۷). این است آن بهشتی که برای فرزندان خدا مهیا شده است. جلال و عظمت آن مافوق تصور خواهد بود زیرا کتاب‌مقدس می گوید: «چیزهایی را که چشـــمی ندید و گوشی نشنید و به‌خاطر انسانی خطور نکرد یعنی آنچه خدا برای دوستداران خود مهیا کرده است» (اول قرنتیان ۹:۲).

سرنوشت آنانی که فرزندان مطیع خدا نیستند چه خواهد بود؟ خداوند می‌فرماید: «امّا نصیب بزدلان و بی‌ایمانان و مفسدان و آدمکشان و بی‌عفتان و جادوگران و بت‌پرستان و همهٔ دروغگویان، دریاچهٔ مشتعل به آتش و گوگرد خواهد بود» (مکاشفه ۸:۲۱). جهنم عبارت است از جدایـی کامل از نور و محبت خدا و با هیچ زبانی نمی‌توان وحشتناک بودن آن را به اندازهٔ کافی توصیف نمود. کاش تمام مردم به جای مجازات ابدی در جستجوی حیات جاودانی باشند.

۵- مرگ ایمانداران

آیا ایمانداران مسیح از مرگ می‌هراسند؟ خیر، آنها از مرگ نمی‌ترسند زیرا مسیح وعده فرمود که وقتی بمیرند با او خواهند بود (دوم قرنتیان ۸:۵). پولس رسول هنگامی که احتمال داشت در رُم اعدام شود چنین نوشت: «مایلم رحلت نمایم و با مسیح باشم زیرا این بسیار بهتر است» (فیلیپیان ۲۳:۱). گاهی مردم تعجب می‌کنند از این که می‌بینند مسیحیان در مجالس ختم عزیزان خود سرودهای شادی‌بخش می‌سرایند. دلیل این موضوع این است که ما می‌دانیم که آنها نزد مسیح رفته‌اند و به همین دلیل در عین حال که از جدایی آنها ناراحت هستیم و اشک می‌ریزیم چون می‌دانیم که نزد مسیح هستند خوشحال هستیم.

خاتمه

دوست گرامی، اکنون باید نامهٔ طولانی خود را خاتمه دهم. امیدوارم توانسته باشم جواب‌های رضایت‌بخش به برخی از سؤالات شما داده باشم. بی‌شک هنوز سؤالات دیگری دارید که آنها را جواب نداده‌ام. مثلاً ممکن است بخواهید بدانید که آیا کشفیات جدید علمی با ایمان مسیحی مغایرت دارد یا نـه؟ به هیچ وجه مغایرت ندارد. خدا سرچشمهٔ تمام حقایق است. خواه این حقایق در کتاب‌مقدس باشند و یا در طبیعت. بین دانش واقعی و ایمان واقعی هیچ مغایرت و مخالفتی وجود ندارد. برخی از بزرگ‌ترین دانشمندان جدید، ایمانداران مسیحی بوده‌اند. دانشمندان هر قدر شگفتی‌های این عالم پهناور را بیشتر کشف کنند ما بهتر خواهیم توانست به عظمت حکمت و قدرت خدا که خالق و حافظ جمیع این چیزهاست پی ببریم.

یا شاید شما، مانند بسیاری از مردم، از مشکلات هولناک جنگ و فقر و بی‌عدالتی در جهان سخت رنج می‌برید و می‌پرسید چرا خدا اجازه می‌دهد که این شرارت‌ها در جهان روی دهد. پاسخی که کتاب‌مقدس به ما می‌دهد این است که جمیع این شرارت‌ها توسط بشر گناهکار ایجاد می‌شود نه به‌وسیلهٔ خدای عادل و قدوس. خدا حتی در حال حاضر مردم را به‌خاطر گناهان‌شان داوری و مجازات می‌کند. در آخر، به‌طوری که قبلاً ملاحظه شد، خدا هر شخصی را به فراخور اعمالش داوری خواهد نمود. جهان تحت نظر خدا اداره می‌شود و اگر چه نمی‌توانیم کاملاً بفهمیم که چرا اجازه می‌دهد این همه شرارت در جهان وجود داشته باشد ولی می‌دانیم که او بالاخره شیطان را به جهنم خواهد افکند و ملکوت/ پادشاهی مقدس و جاودانی خود را برقرار خواهد فرمود.

دوســت گرامــی، جدی‌ترین درخواســتم از شــما این اســت که کتاب‌مقدس را دقیقاً مطالعه کرده، دعا کنید که خدا شــما را در فهمیدن تعالیم آن راهنمایی فرماید. شــما می‌توانید با ایمان به عیســای مســیح نجات‌دهنده، فرزند خدا شوید. همچنین امیدوارم که طی زندگی به خدا و مردم خدمت کنید و ســپس با مسیح در خانهٔ پدر سماوی خود ساکن شوید.

دوست صمیمی شما

برای کسب اطلاعات بیشتر و یا تهیهٔ این کتاب
لطفاً از طریق وب‌سایت و یا ای‌میل زیر با ما تماس بگیرید:

www.kalameh.com/shop

publications@elam.com